LA MÉTHODE
MONTIGNAC

pour vos boîtes à lunch

D0001456

Distribution pour le Canada:

QUÉBEC·LIVRES

2185, autoroute des Laurentides
Laval (Québec) H7S 1Z6
Téléphone: (450) 687-1210
Télécopieur: (450) 687-1331

LA MÉTHODE
MONTIGNAC
pour vos boîtes à lunch

Chantal Gagnon

LES ÉDITIONS
PUBLISTAR
QUEBECOR MEDIA

LES ÉDITIONS PUBLISTAR
Une division des Éditions TVA inc.

7, chemin Bates
Outremont (Québec) H2V 4V7

Directrice des éditions :	Annie Tonneau
Direction artistique :	Benoît Sauriol
Révision :	Paul Lafrance, Corinne De Vailly
Correction :	Luce Langlois
Infographie :	Roger Des Roches – SÉRIFSANSÉRIF
Couverture :	Michel Denommée
Photos intérieures :	Guy Beaupré
Stylisme culinaire et coordination :	Louise Robitaille
Accessoires de cuisine et vaisselle :	Ares, Accessoires de cuisine

Le distributeur exclusif du vrai pain intégral Montignac
est Première moisson.

Pour vous renseigner sur la méthode et les produits santé Montignac:
www.montignac.com et www.nadfoods.com

Nous reconnaissons l'aide financière du gouvernement du Canada par l'entremise du Programme d'aide au développement de l'industrie de l'édition (PADIÉ) pour nos activités d'édition.

Gouvernement du Québec — Programme de crédit d'impôt pour l'édition de livres — Gestion SODEC.

© Les Éditions TVA inc., 2003
Dépôt légal: troisième trimestre 2003
Bibliothèque nationale du Québec
Bibliothèque nationale du Canada
ISBN: 2-89562-097-0

Table des matières

Préface

La prévalence de l'obésité dans le monde est en constante augmentation depuis un demi-siècle. Observée d'abord aux États-Unis, l'obésité s'est progressivement étendue dans tous les pays occidentaux. Elle frappe désormais tous les pays industrialisés, mais aussi ceux en voie de développement.

Mais c'est parmi la population enfantine de tous ces pays que la situation est la plus préoccupante. Le nombre d'enfants obèses augmente depuis les dernières décennies d'une manière quasi exponentielle.

Les nutritionnistes qui habituellement recommandent en la matière de manger moins et de faire plus d'exercice sont quelque peu désemparés. Car les enfants qui s'agitent déjà passablement sont en pleine croissance. Il est donc impensable de leur faire suivre une diète fondée sur des restrictions alimentaires.

C'est pourquoi la Méthode Montignac, qui permet de toujours manger à sa faim, se révèle d'un grand secours pour combattre l'obésité infantile.

Chantal Gagnon, une professionnelle de la confection de repas pour les enfants, a toujours constaté que le dîner des jeunes, qui est pris le plus souvent à l'extérieur de la maison, laissait beaucoup à désirer. Comme elle connaît particulièrement bien la Méthode Montignac pour l'avoir expérimentée avec succès sur elle-même, elle a eu la bonne idée de concevoir toute une série de recettes Montignac destinées à la préparation des boîtes à lunch.

Les mères de famille trouveront un grand intérêt à s'inspirer du contenu de ce livre pour à la fois prévenir et combattre la surcharge pondérale de leurs enfants.

Michel Montignac

Introduction

En tant que mère de quatre jeunes enfants, je sais à quoi peut ressembler une boîte à lunch préparée en vitesse, entre le biberon du plus petit et la rôtie refroidie, en passant par la chute d'un verre de lait. Son contenu peut parfois laisser à désirer puisque, prise dans le tourbillon matinal, même la meilleure des mères prendra ce qui lui tombe sous la main pour composer le repas de ses enfants.

Malheureusement, plusieurs des aliments vendus tout préparés et destinés aux boîtes à lunch ne sont pas conçus pour répondre aux besoins alimentaires des enfants. La plupart de ces aliments dépanneurs sont bourrés de sucre et ne contiennent pas forcément les divers nutriments nécessaires à la croissance et à la bonne santé des jeunes.

Je suis donc partie faire le tour des librairies afin de trouver des livres de recettes conçues pour les enfants, et plus particulièrement pour les boîtes à lunch. Quelle ne fut pas ma déception de constater que seulement trois ou quatre bouquins concernaient vraiment les boîtes à lunch! Et, bien entendu, aucune des recettes ne convenait à la Méthode Montignac. Je me trouvais donc encore au point de départ, c'est-à-dire toujours sans recettes pour les dîners de mes enfants. J'ai alors décidé qu'à défaut de trouver des recettes et des menus déjà élaborés, j'allais mettre par écrit mes propres créations afin de pouvoir m'y référer et composer des menus autour d'elles.

Évidemment, l'expérience acquise au fil des ans en tant que cuisinière dans un centre de la petite enfance m'a beaucoup aidée à mieux connaître et définir les préférences culinaires des enfants en général. Après quatre années passées à concevoir des menus et à trouver des recettes spécialement pour les enfants de la garderie, il est plus facile pour moi de déterminer les recettes qui vont faire fureur et celles qui ne feront pas long feu.

Lorsque mon idée d'écrire un livre de recettes dédié aux boîtes à lunch et respectant la Méthode Montignac a été acceptée par mon éditrice, j'ai été très emballée. J'allais enfin avoir la chance de partager mes recettes pour en faire profiter le plus grand nombre d'enfants possible, et de parents par le fait même.

Un jour, je suis tombée par hasard sur les résultats d'un sondage effectué dans les écoles afin de vérifier le contenu nutritionnel des aliments des boîtes à lunch. J'ai aussitôt ressenti le besoin de faire quelque chose pour améliorer la situation, qui était tout à fait catastrophique. Trop d'enfants se nourrissent encore de «pogos», croustilles, boissons sucrées et compagnie. Il faudrait bannir ces aliments des écoles car, en plus de ne pas fournir les éléments nutritifs dont les enfants ont besoin pour maintenir un degré minimal de concentration, ils entraînent l'obésité infantile, un autre fléau qui frappe nos enfants.

Dans notre société moderne, où le nombre de cas de maladies telles que l'obésité infantile ou le diabète juvénile monte en flèche de façon alarmante, la population n'est pas assez sensibilisée à ces problèmes et surtout à l'importance d'une saine alimentation, et ce, dès le plus jeune âge.

Si les enfants apprenaient à bien s'alimenter dès le début, c'est-à-dire dès l'introduction des aliments solides vers l'âge de quatre mois environ, ces bonnes habitudes se prendraient facilement. Bien sûr, il n'est jamais trop tard, en particulier chez les enfants. Ceux-ci ont une capacité d'adaptation très surprenante et scientifiquement prouvée. C'est donc la meilleure période de la vie pour acquérir de saines habitudes, entre autres alimentaires.

Pourquoi la Méthode Montignac?

La Méthode Montignac représente pour moi le meilleur choix alimentaire possible. Bien sûr, elle demande de choisir avec soin les aliments qu'on dépose dans son panier d'épicerie, et surtout ne pas se laisser attirer par les aliments camelotes qui garnissent les rayons des supermarchés. En revanche, cette méthode n'impose aucune limite quant à la grosseur des portions ou au nombre d'assiettées. Pour les gens qui aiment manger et qui ont bon appétit, c'est un point à ne pas négliger! Pour avoir personnellement fait l'essai de plusieurs diètes ou régimes tous plus farfelus les uns que les autres, je peux vous assurer que la Méthode Montignac est la seule qui m'ait donné des résultats à long terme, et ce, sans avoir l'impression de me priver ni de me sentir affamée toute la journée. Il faut comprendre avant tout que la Méthode Montignac n'est pas seulement un régime amaigrissant : c'est un régime de vie. C'est ça, la beauté de la méthode.

La Méthode Montignac nous a également permis, à ma petite famille et à moi-même, de nous débarrasser de l'emprise du sucre. Pour ceux et celles qui ne l'auraient pas encore remarqué, le sucre est devenu omniprésent dans nos aliments. Les grandes entreprises agroalimentaires se forcent même pour en rajouter là où ce n'est pas nécessaire : jus, vinaigrettes, craquelins, compotes, sauce tomate, condiments, tout y passe ! L'augmentation du taux de sucre dans les aliments industriels coïncide avec l'augmentation du taux d'obésité.

Si vous n'êtes pas déjà un adepte de la Méthode Montignac, faites le test suivant : ouvrez votre garde-manger et lisez la liste d'ingrédients sur les emballages des produits qui garnissent vos tablettes. Je suis certaine que vous trouverez du sucre ou l'un de ses dérivés (glucose, mélasse, sirop, miel, dextrose, etc.) dans une bonne dizaine de produits, dont certains vous étonneront ! Allez-y, faites le test. Vous verrez jusqu'à quel point votre famille et vous êtes sous l'emprise du sucre !

Je pourrais m'étendre longtemps sur tous les problèmes de santé que peut causer une mauvaise alimentation. Mais je préfère arrêter ici et passer à la partie la plus importante : ce que vous pouvez faire pour prendre votre santé en main.

Tout d'abord, si vous voulez un bon conseil afin d'éviter la course matinale, préparez les boîtes à lunch la veille, après le souper par exemple. Vous pouvez même faire participer les enfants. Ils seront fiers d'avoir fait eux-mêmes le montage de leur sandwich ou encore d'avoir emballé les carottes qui vont l'accompagner. Si l'enfant veut participer encore plus, vous pouvez lui faire choisir certains éléments qui composeront son dîner, par exemple le légume d'accompagnement ou encore le dessert qui lui fera plaisir. Parfois, de simples petits gestes peuvent revêtir un caractère tout autre pour l'enfant. Qui plus est, si vous faites les lunchs en compagnie de vos enfants, vous ferez d'une pierre deux coups, puisque cette activité vous permettra de passer plus de temps avec eux.

Maintenant, c'est à vous de jouer! Vous seul pouvez changer les choses. Votre meilleure alliée? La Méthode Montignac, bien sûr!

Bon appétit et, surtout, bonne santé!

Chantal Gagnon

Les fondements scientifiques de la Méthode Montignac

Depuis une cinquantaine d'années que l'on se préoccupe d'amaigrissement dans les pays industrialisés, il existe une sorte de consensus sur les causes de la prise de poids et sur les mesures à prendre pour prévenir et enrayer ce qui est désormais considéré comme un important facteur de risque pour la santé.

L'échec de la diététique hypocalorique

À l'origine, les diététiciens sont partis d'une hypothèse consistant à croire que si certaines personnes grossissaient, c'est parce qu'elles mangeaient trop (en calories) et ne se dépensaient pas assez. Leurs recommandations ont donc été de réduire les apports énergétiques quotidiens en mangeant moins (régimes hypocaloriques) et de faire plus d'exercice pour se dépenser davantage. L'expérience, de même que de nombreuses études épidémiologiques, ont démontré l'inefficacité à long terme de cette approche diététique.

Au début du régime, on peut effectivement noter une perte de poids relative, mais celle-ci est illusoire et toujours éphémère. Dans plus de 95 % des cas, on remarque une reprise de poids rapide alors qu'on se trouve toujours dans une démarche restrictive et à plus forte raison lorsqu'on revient à une alimentation normale. Concrètement, il se produit un ajustement du rendement du métabolisme en réponse à la réduction des apports caloriques.

On a ainsi montré que les régimes hypocaloriques étaient inefficaces et même dangereux, car outre les risques de carences qu'ils entraînaient, ils faisaient, dans de nombreux cas, le lit de l'obésité. Les études épidémiologiques ont révélé que, paradoxalement, la prévalence de l'obésité dans les pays industrialisés a été multipliée par quatre depuis 40 ans alors que, sur la même période, la consommation calorique quotidienne moyenne a diminué de 35 %. Tous les travaux scientifiques concluent donc que, contrairement à ce qu'on a pensé, il n'y a pas de lien entre l'obésité et le contenu énergétique des aliments consommés.

Les principes de base de la Méthode Montignac

À partir de ses propres recherches et en s'appuyant sur de nombreuses publications scientifiques, Michel Montignac a su démontrer que le facteur énergétique de l'alimentation n'était pas déterminant dans la prise de poids.

Il a par ailleurs construit et validé l'hypothèse que la surcharge pondérale et *a fortiori* l'obésité étaient en réalité le résultat d'une réaction métabolique en chaîne découlant du contenu nutritionnel de certains aliments. En d'autres termes, c'est le facteur «qualité» et non «quantité» de l'aliment qui est déterminant dans l'éventuelle prise de poids. C'est pourquoi deux aliments appartenant à la même catégorie (glucides, lipides, etc.) peuvent, pour un même nombre de calories, avoir des effets métaboliques différents, voire contraires et ainsi produire ou non un stockage de graisses de réserve.

La Méthode Montignac consiste à choisir, sans restriction quant à la quantité à consommer, les aliments selon leur potentialité métabolique, laquelle est précisée par des tables. Cela conduit à avoir une alimentation normale, parfaitement équilibrée, tout à fait compatible avec la cuisine gastronomique, et surtout à manger à sa faim.

Le succès mondial de la Méthode Montignac (plus de 14 millions de livres vendus depuis 15 ans) est le fruit de son efficacité et de sa facilité d'application. Mais c'est aussi le résultat du bouche-à-oreille relayé par les recommandations des médecins, dont la clientèle exige d'obtenir des résultats.

Par ailleurs, le numéro de novembre 2001 de la prestigieuse revue scientifique *The British Journal of Nutrition* a publié les travaux de recherche d'une grande équipe hospitalo-universitaire canadienne qui a démontré, en la comparant à d'autres régimes, que la Méthode Montignac était non seulement la plus efficace, mais qu'elle contribuait à diminuer de manière impressionnante les facteurs de risques cardiovasculaires et à prévenir le développement du diabète.

LES DEUX PRINCIPES
DE LA MÉTHODE MONTIGNAC

1. **Le premier principe** consiste à se décon-
ditionner des messages nutritionnels erronés,
abusivement centrés sur l'aspect calorique de
l'aliment. Ils font malheureusement partie de
notre culture, et de nombreux diététistes conti-
nuent à véhiculer ces messages malgré leur
inefficacité.

2. **Le deuxième principe** est fondé sur le choix des
aliments en fonction de leur apport nutritionnel
spécifique et de leur potentialité métabolique.

   - les glucides seront choisis, de préférence,
   parmi ceux dont l'index glycémique est bas,
   très bas même.
   - les lipides seront choisis en fonction de la
   nature de leurs acides gras ; ainsi :
     - les acides gras polyinsaturés oméga-3
     (graisses de poisson) de même que les
     acides gras monoinsaturés (huile d'olive)
     seront privilégiés ;
     - les acides gras saturés (beurre, graisse
     de viande) seront évités.
   - les protéines seront choisies en fonction de
   leur origine (végétale ou animale), de leur
   complémentarité et de leur neutralité en-
   vers les processus métaboliques de la prise
   de poids (hyperinsulinisme).

MISE EN ŒUVRE
DE LA MÉTHODE

La Méthode Montignac comporte deux phases:

Phase 1: Amaigrissement

Elle varie selon l'importance de la surcharge. Outre le choix judicieux des graisses et des protéines, elle consiste à ne consommer (dans la catégorie des glucides) que des aliments dont l'index glycémique (IG) est inférieur ou égal à 35. L'objectif est qu'à la fin de chaque repas, la réponse insulinique soit la plus basse possible. Cela supprime toute possibilité de stockage (lipogenèse) et même, au contraire, cela active le processus de déstockage des graisses de réserve (lipolyse) qui sont brûlées par augmentation de la dépense énergétique (thermogenèse).

Phase 2: Stabilisation et prévention

Le choix des glucides sera toujours fait en fonction de leur index glycémique, mais il sera plus large qu'en phase 1. Ces choix peuvent être mieux guidés par l'utilisation de deux nouveaux concepts: celui de la charge glycémique (synthèse entre l'index glycémique et la concentration en glucides purs de l'aliment) et celui de la résultante glycémique du repas. Cela permet la consommation, dans certaines conditions, de tous les glucides y compris ceux dont l'IG est élevé.

La Méthode Montignac se révèle aujourd'hui la seule voie à suivre crédible pour contrer l'échec de la diététique que constituent les régimes hypocaloriques. Elle tire sa légitimité de la synthèse de nombreuses études scientifiques publiées depuis une vingtaine d'années, mais aussi du témoignage de centaines de milliers de personnes qui l'ont expérimentée avec succès, y compris des médecins. Elle s'inscrit dans un courant de pensée néonutritionnel dont les fondements sont confirmés par les travaux des grands épidémiologistes, notamment ceux du Pr Walter Willett, des États-Unis.

Pour plus d'information et pour connaître en détail le programme d'amaigrissement de la Méthode Montignac, nous vous recommandons la lecture du livre *Je mange, je maigris et je reste mince*, publié aux Éditions Flammarion.

Menus lunch

Menu lunch – **Semaine 1**

Lundi	Mardi	Mercredi	Jeudi	Vendredi
Chaudrée de poisson	Macaroni chinois	Sandwich au beurre d'arachide réinventé	Salade aux œufs et au brocoli	Ratatouille au poulet
Céleri et fromage à la crème	Crudités	Concombre	Brochettes de fromage	Salade de carottes
Trempette au cari	Salade de fruits rouges	Compote de pommes et de poires	Raisins frais	Frappé aux pêches
Yogourt nature et bleuets				

Menu lunch – **Semaine 2**

Lundi	Mardi	Mercredi	Jeudi	Vendredi
Salade grecque aux crevettes	Roulades de courgettes	Pita au concombre	Salade de haricots verts	Casserole de boulettes de veau
Chou-fleur	Salade soleil à l'estragon	Taboulé	Filets de porc aux fines herbes	Verdure en folie
Dessert aux poires	Yogourt nature et cerises	Gélatine orange-kiwi	Yogourt nature et fraises	Pomme verte

Menu lunch – **Semaine 3**

Lundi	Mardi	Mercredi	Jeudi	Vendredi
Salade de thon et de concombre	Quiche aux courgettes sans croûte	Roulés du jardin	Marinade jardinière	Soupe au poulet et aux légumes
Brocoli au gingembre	Salade forestière	Salade de riz sauvage	Œufs durs	Épinards au pesto
Velouté aux framboises	Kiwi	Agrumes à la menthe	Yogourt nature et pêche	Crème choco-orange

Menu lunch – **Semaine 4**

Lundi	Mardi	Mercredi	Jeudi	Vendredi
Festin marin	Bateaux cornichons	Sandwich au fromage	Riz intégral aux herbes	Chop suey au poulet
Salade rubis	Salade de chou	Salade tzatziki	Salade de lentilles	Carottes
Bleuets	Blanc-manger à la vanille	Yogourt à boire aux raisins	Nuages aux fraises	Yogourt nature et framboises

Menu lunch – **Semaine 5**

Lundi	Mardi	Mercredi	Jeudi	Vendredi
Poivrons farcis aux fruits de mer	Roulé aux œufs, au pesto et au poulet	Crème de chou-fleur au cheddar	Salade de chou chinois au bœuf	Salade mexicaine
Tranches de tomates	Laitue et vinaigrette, au choix	Roulés de jambon aux légumes	Brocoli	Guacamole
Mousse au chocolat	Yogourt à la vanille	Compote de pommes	Trempette rouge	Carottes
			Douceur aux petits fruits	Poire

Menu lunch – **Semaine 6**

Lundi	Mardi	Mercredi	Jeudi	Vendredi
Chili complet	Tartinade aux œufs	Tortillas aux courgettes	Salade marine	Salade Pékin
Carottes	Céleri	Brocoli	Tranches de tomates et vinaigrette à la menthe	Concombre
Pêches mignonnes	Salade de poivrons	Prune	Gâteries au chocolat	Yogourt nature et fraises
	Yogourt nature et bleuets			

Menu lunch – **Semaine 7**

Lundi	Mardi	Mercredi	Jeudi	Vendredi
Salade fajitas	Céleri farci	Pilaf aux légumes	Tomate farcie	Bouillon amusant
Concombre	Salade de courgettes	Salade de pois chiches au cari	Épinards au pesto	Brocoli
Raisins frais	Yogourt nature et cerises	Kiwi	Poires pochées aux bleuets	Trempette aux haricots blancs
				Pomme

Menu lunch – **Semaine 8**

Lundi	Mardi	Mercredi	Jeudi	Vendredi
Pâté chinois Montignac	Thon et haricots rouges en salade	Lasagne aux légumes	Garniture au tofu	Soupe aux lentilles et au cari
Salade de chou rouge	Chou-fleur	Brocoli	Salade de poivrons	Crudités
Yogourt nature et fraises	Clémentine	Compote de pommes	Framboises	Trempette au yogourt et à l'ail
				Pêche

RECETTES

SOUPES

BOUILLON AMUSANT

4 portions
Phase 1

INGRÉDIENTS

1 l (4 tasses) de bouillon de légumes sans gras
125 ml (1/2 tasse) de spaghettis intégraux secs,
cassés en tronçons de 2 cm (3/4 po)
1 poivron rouge
1 courgette
1 carotte
Sel et poivre, au goût

PRÉPARATION

- Dans une casserole, porter le bouillon à ébullition. Ajouter les spaghettis et baisser le feu.
- Pendant ce temps, couper la carotte et la courgette en tranches de 1 à 2 mm (1/16 à 1/8 po) d'épaisseur, sur la longueur. À l'aide d'un emporte-pièce ou d'un couteau, découper des formes géométriques ou autres dans les tranches de légumes. Couper le poivron en deux et faire de même.
- Mettre les légumes dans le bouillon et cuire jusqu'à ce que les spaghettis soient cuits. Assaisonner.

BOUILLON AUX HERBES

8 portions
Phase 1

INGRÉDIENTS

4 l (16 tasses) d'eau
2 poivrons verts grossièrement hachés
2 oignons grossièrement hachés
3 branches de céleri, en tronçons
3 gousses d'ail écrasées
Sel et poivre, au goût
250 ml (1 tasse) ou plus d'estragon frais

PRÉPARATION

- Verser l'eau dans un grand chaudron et y ajouter les légumes, l'ail, le sel et le poivre.
- Porter à ébullition. Par la suite, diminuer le feu et laisser mijoter une heure, à demi-couvert.
- Une fois la cuisson terminée, passer le bouillon au tamis afin de retirer les légumes. Réserver.
- Mettre l'estragon frais dans le bol du mélangeur et ajouter un peu de bouillon. Réduire en purée. Verser cette purée d'estragon dans le bouillon et mélanger.
- Ce bouillon remplace très bien le bouillon de légumes traditionnel dans les soupes, potages ou autres recettes. On peut utiliser une autre herbe afin de varier le goût.

BOUILLON DE POULET MAISON

INGRÉDIENTS

4 l (16 tasses) d'eau

1 petit poulet ou 2 carcasses de poulets

3 branches de céleri, en tronçons

2 oignons grossièrement hachés

1 poivron vert grossièrement haché

3 gousses d'ail écrasées

10 ml (2 c. à thé) de basilic séché

10 ml (2 c. à thé) d'estragon séché

5 ml (1 c. à thé) de thym séché

5 ml (1 c. à thé) de marjolaine séchée

PRÉPARATION

- Mettre l'eau et le poulet dans une grande casserole avec le céleri, les oignons, le poivron et l'ail. Laisser mijoter à feu doux durant 1 1/2 heure. Ajouter les fines herbes et poursuivre la cuisson 10 minutes.
- Passer le bouillon au tamis afin d'enlever les légumes et le poulet.
- Répartir dans des contenants appropriés et congeler.

31

CHAUDRÉE DE POISSON

6 portions
Phase 1

INGRÉDIENTS

15 ml (1 c. à soupe) d'huile d'olive
1 oignon finement haché
2 branches de céleri hachées
1 poivron rouge haché
2 gousses d'ail écrasées
1,5 l (6 tasses) de bouillon de légumes
400 g (14 oz) de filets de sole, en cubes
1 ml (1/4 c. à thé) de safran
1 ml (1/4 c. à thé) de sel
1 pincée de poivre
1 pincée de paprika
250 ml (1 tasse) de crème champêtre 15 %

PRÉPARATION

- Dans une grande casserole, chauffer l'huile à feu moyen. Y jeter l'oignon, le céleri et le poivron, et cuire 4 ou 5 minutes, en remuant régulièrement. Ajouter l'ail et poursuivre la cuisson 1 minute de plus.
- Verser le bouillon et porter à ébullition. Diminuer le feu à moyen-doux et ajouter le poisson. Cuire de 5 à 10 minutes ou jusqu'à ce que le poisson s'effrite facilement à la fourchette.
- Ajouter les assaisonnements et la crème, et poursuivre la cuisson 2 minutes.

CRÈME DE CHOU-FLEUR AU CHEDDAR

4 portions
Phase 1

INGRÉDIENTS

30 ml (2 c. à soupe) d'huile d'olive
1 oignon haché
2 branches de céleri hachées
2 gousses d'ail écrasées
1 chou-fleur, en bouquets
1 l (4 tasses) de bouillon de poulet
250 ml (1 tasse) de crème 15 %
2,5 ml (1/2 c. à thé) de sel
1 ml (1/4 c. à thé) de muscade
1 pincée de poivre
250 ml (1 tasse) de cheddar fort,
râpé ou en cubes

PRÉPARATION

- Dans une grande casserole, chauffer l'huile à feu moyen et y faire revenir l'oignon, le céleri et l'ail environ 5 minutes.
- Ajouter le chou-fleur et mouiller avec le bouillon de poulet. Couvrir et laisser mijoter environ 10 minutes ou jusqu'à ce que le chou-fleur soit tendre.
- Passer le tout au mélangeur jusqu'à consistance désirée, et remettre dans la casserole.

Suite ➤

(Il est possible de sauter cette étape, pour conserver tous les morceaux de chou-fleur.)

- Verser la crème, ajouter les assaisonnements et réchauffer la soupe jusqu'à ce qu'elle frémisse.
- Au moment de servir, ajouter le cheddar râpé ou en cubes.

SOUPE AU POULET ET AUX LÉGUMES

6 portions
Phase 1

INGRÉDIENTS

15 ml (1 c. à soupe) d'huile d'olive
1 oignon finement haché
1 branche de céleri finement hachée
1 gousse d'ail écrasée
1,5 l (6 tasses) de bouillon de poulet maison
1 poivron vert haché
1 courgette hachée
250 ml (1 tasse) de haricots verts, en tronçons
de 2 cm (3/4 po)
1 boîte de 796 ml (28 oz) de tomates, en dés
500 ml (2 tasses) de poulet cuit, en cubes
30 ml (2 c. à soupe) de pesto maison
ou du commerce, sans sucre
Sel et poivre, au goût

PRÉPARATION

• Dans une grande casserole, chauffer l'huile à feu moyen. Y jeter l'oignon haché et le céleri, et cuire 2 ou 3 minutes, en remuant régulièrement. Ajouter l'ail et poursuivre la cuisson 1 minute de plus.

Suite ➤

- Verser le bouillon et porter à ébullition. Ajouter les légumes et diminuer le feu à moyen-doux. Laisser mijoter environ 15 minutes afin que les légumes soient cuits mais légèrement croquants.
- Ajouter le poulet, le pesto, le sel et le poivre et poursuivre la cuisson 5 minutes, le temps de bien réchauffer le poulet.

SOUPE AU RIZ ET AUX HARICOTS ROUGES

4 portions

Phase 1

INGRÉDIENTS

1,5 l (6 tasses) de bouillon de légumes
250 ml (1 tasse) de riz intégral
250 ml (1 tasse) de champignons tranchés
1 poireau finement haché
5 ml (1 c. à thé) d'estragon séché
5 ml (1 c. à thé) de marjolaine séchée
1 ml (1/4 c. à thé) de romarin séché
Sel et poivre, au goût
250 ml (1 tasse) de brocoli, en petits bouquets
1 boîte de 540 ml (19 oz) de haricots rouges,
rincés et égouttés

PRÉPARATION

- Dans une grande casserole, porter le bouillon à ébullition. Ajouter le riz et cuire 30 minutes à feu doux.
- Ajouter les champignons, le poireau et les assaisonnements, et poursuivre la cuisson 10 minutes.
- Incorporer les haricots rouges et le brocoli, et cuire 5 minutes.

37

SOUPE AUX ÉPINARDS ET AUX CHAMPIGNONS

4 portions
Phase 1

INGRÉDIENTS

60 ml (1/4 tasse) de shiitakes séchés
250 ml (1 tasse) d'eau bouillante
1,5 l (6 tasses) de bouillon de légumes
1 l (4 tasses) d'eau
454 g (1 lb) de champignons blancs tranchés
1 gros oignon blanc haché
2 gousses d'ail écrasées
500 ml (2 tasses) de haricots verts
5 ml (1 c. à thé) de thym séché
2,5 ml (1/2 c. à thé) de sauge séchée
2,5 ml (1/2 c. à thé) de poivre
2,5 ml (1/2 c. à thé) de sel
60 ml (1/4 tasse) de pâte de tomates
30 ml (2 c. à soupe) de tamari
30 ml (2 c. à soupe) de vinaigre balsamique
500 ml (2 tasses) de riz sauvage cuit
200 g (7 oz) d'épinards frais, hachés

PRÉPARATION

- Verser l'eau bouillante sur les shiitakes séchés et laisser reposer environ 20 minutes.

Suite ➤

38

- Dans une grande casserole, porter le bouillon et l'eau à ébullition. Ajouter les champignons blancs, l'oignon, l'ail et les haricots, et cuire environ 20 minutes.
- Ajouter le reste des ingrédients et poursuivre la cuisson 10 minutes ou jusqu'à ce que les légumes soient cuits à point.

SOUPE AUX LENTILLES ET AU CARI

INGRÉDIENTS

1 l (4 tasses) d'eau

2 branches de céleri hachées

2 oignons perlés rouges, hachés

250 ml (1 tasse) de haricots jaunes,
en petits tronçons

250 ml (1 tasse) de chou-fleur haché

1 boîte de 540 ml (19 oz) de lentilles vertes,
cuites, rincées et égouttées

15 ml (1 c. à soupe) de persil frais, haché

15 ml (1 c. à soupe) de poudre de cari

Sel et poivre, au goût

PRÉPARATION

- Dans une grande casserole, porter l'eau à ébullition. Ajouter le céleri, les oignons et les haricots jaunes, et diminuer le feu de moitié. Cuire 10 minutes, puis ajouter le chou-fleur. Poursuivre la cuisson 5 minutes.
- Ajouter les lentilles et les assaisonnements. Cuire 2 minutes.

SOUPE FERMIÈRE

4 portions
Phase 1

INGRÉDIENTS

1 l (4 tasses) de jus de tomate
500 ml (2 tasses) d'eau
250 ml (1 tasse) de haricots jaunes, en tronçons
de 2 cm (3/4 po)
1 petit oignon rouge
125 ml (1/2 tasse) de pois verts
125 ml (1/2 tasse) de pâtes intégrales, au choix
1 boîte de 540 ml (19 oz) de pois chiches,
rincés et égouttés
60 ml (1/4 tasse) d'origan frais, haché
Sel et poivre, au goût

PRÉPARATION

- Dans une grande casserole, porter le jus de tomate et l'eau à ébullition. Ajouter les haricots jaunes, l'oignon rouge, les pois verts et les pâtes. Réduire le feu de moitié et cuire environ 12 minutes, c'est-à-dire jusqu'à ce que les pâtes soient prêtes.
- Ajouter les pois chiches, l'origan, le sel et le poivre, et cuire 1 minute supplémentaire.

41

RECETTES

VINAIGRETTES

MAYONNAISE MAISON

6 portions
Phase 1

INGRÉDIENTS

1 jaune d'œuf
2 c. à soupe de jus de citron
1 ml (1/4 c. à thé) de sel
2,5 ml (1/2 c. à thé) de moutarde sèche
1 gousse d'ail écrasée
125 ml (1 tasse) d'huile d'olive

PRÉPARATION

- Dans un bol, fouetter légèrement le jaune d'œuf.
- Ajouter le jus de citron, le sel, la moutarde et l'ail. Bien mélanger.
- Incorporer l'huile en un mince filet, en fouettant continuellement.

45

VINAIGRETTE À L'AIL

4 portions
Phase 1

INGRÉDIENTS

175 ml (3/4 tasse) d'huile d'olive
60 ml (1/4 tasse) de jus de citron frais
2 gousses d'ail écrasées
5 ml (1 c. à thé) de moutarde sèche
5 ml (1 c. à thé) de tamari
5 ml (1 c. à thé) de ciboulette fraîche
Sel et poivre, au goût

PRÉPARATION

- Dans un bol, bien mélanger tous les ingrédients à l'aide d'un fouet.
- Rectifier l'assaisonnement au besoin.

VINAIGRETTE À L'ORANGE

4 portions

Phase 1

INGRÉDIENTS

15 ml (1 c. à soupe) de zeste d'orange
45 ml (3 c. à soupe) de jus d'orange
5 ml (1 c. à thé) de gingembre frais, râpé
30 ml (2 c. à soupe) de vinaigre de riz
125 ml (1/2 tasse) d'huile d'olive
5 ml (1 c. à thé) de sauce soya
Sel et poivre, au goût

PRÉPARATION

- Dans un bol, bien mélanger tous les ingrédients à l'aide d'un fouet.
- Rectifier l'assaisonnement au besoin.

47

VINAIGRETTE À LA MENTHE

4 portions
Phase 1

INGRÉDIENTS

250 ml (1 tasse) d'huile d'olive
15 ml (1 c. à soupe) de jus de citron frais
30 ml (2 c. à soupe) de vinaigre de cidre
60 ml (1/4 tasse) de menthe fraîche,
finement hachée

PRÉPARATION

- Dans un bol, bien mélanger tous les ingrédients à l'aide d'un fouet.
- Rectifier l'assaisonnement au besoin.

VINAIGRETTE À LA MOUTARDE

4 portions
Phase 1

INGRÉDIENTS

15 ml (1 c. à soupe) de moutarde jaune
ordinaire
15 ml (1 c. à soupe) de moutarde de Dijon
15 ml (1 c. à soupe) de moutarde sèche
2 gousses d'ail écrasées
15 ml (1 c. à soupe) de vinaigre de vin
15 ml (1 c. à soupe) de jus de citron frais
175 ml (3/4 tasse) d'huile d'olive
15 ml (1 c. à soupe) de ciboulette fraîche,
hachée

PRÉPARATION

- Dans un bol, bien mélanger tous les ingrédients à l'aide d'un fouet.
- Rectifier l'assaisonnement au besoin.

VINAIGRETTE CRÉMEUSE

4 portions
Phase 1

INGRÉDIENTS

125 ml (1/2 tasse) de yogourt nature
125 ml (1/2 tasse) d'huile d'olive
2 oignons verts hachés
15 ml (1 c. à soupe) de moutarde de Dijon
30 ml (2 c. à soupe) de vinaigre de vin
5 ml (1 c. à thé) de basilic séché
Sel et poivre, au goût

PRÉPARATION

• Dans un bol, bien mélanger tous les ingrédients à l'aide d'un fouet.
• Rectifier l'assaisonnement au besoin.

VINAIGRETTE FRANÇAISE

4 portions
Phase 1

INGRÉDIENTS

175 ml (3/4 tasse) d'huile d'olive
60 ml (4 c. à soupe) de vinaigre de vin
5 ml (1 c. à thé) de moutarde de Dijon
1 gousse d'ail écrasée
5 ml (1 c. à thé) de persil séché
1 ml (1/4 c. à thé) de paprika
Sel et poivre, au goût

PRÉPARATION

- Dans un bol, bien mélanger tous les ingrédients à l'aide d'un fouet.
- Rectifier l'assaisonnement au besoin.

VINAIGRETTE THAÏ

INGRÉDIENTS

125 ml (1/2 tasse) de jus d'orange frais

60 ml (1/4 tasse) de jus de lime frais

5 ml (1 c. à thé) de moutarde de Dijon

125 ml (1/2 tasse) d'huile d'olive

10 ml (2 c. à thé) de gingembre frais,
finement haché

15 ml (1 c. à soupe) d'oignon vert
finement haché

Sel et poivre, au goût

PRÉPARATION

- Dans un bol, bien mélanger tous les ingrédients à l'aide d'un fouet.
- Rectifier l'assaisonnement au besoin.

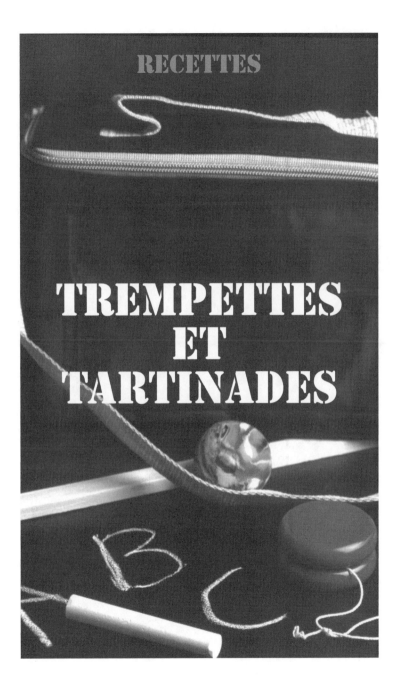

RECETTES

TREMPETTES
ET
TARTINADES

GARNITURE AU TOFU

INGRÉDIENTS

1 bloc de 400 g (14 oz) de tofu ferme, râpé
2 oignons verts finement hachés
1 carotte râpée
1 branche de céleri finement hachée
30 ml (2 c. à soupe) d'oignon rouge,
finement haché
30 ml (2 c. à soupe) de persil frais, haché
15 ml (1 c. à soupe) de moutarde
2,5 ml (1/2 c. à thé) de curcuma
2,5 ml (1/2 c. à thé) de basilic séché
1 ml (1/4 c. à thé) de thym séché
5 ml (1 c. à thé) d'herbes salées
125 ml (1/2 tasse) ou plus de crème sure
sans gras

PRÉPARATION

• Bien mélanger tous les ingrédients. Il est possible d'adjoindre plus de crème sure pour obtenir une texture plus onctueuse.

GUACAMOLE

INGRÉDIENTS

2 avocats bien mûrs

2 tomates italiennes finement hachées

1 piment jalapeño finement haché

1 petit oignon finement haché

10 ml (2 c. à thé) de jus de citron

10 ml (2 c. à thé) de coriandre fraîche

Sel et poivre, au goût

PRÉPARATION

- À la fourchette, bien écraser les avocats dans un bol afin d'obtenir une purée plus ou moins lisse, au goût.
- Ajouter tous les autres ingrédients à la purée d'avocats et bien mélanger. Réfrigérer une heure.

HOUMMOS PIQUANT

INGRÉDIENTS

1 boîte de 540 ml (19 oz) de pois chiches
60 ml (1/4 tasse) ou plus de jus de pomme
non sucré
2 ou 3 gousses d'ail écrasées
5 ml (1 c. à thé) de pâte de piments forts

PRÉPARATION

- Bien rincer les pois chiches à l'eau froide.
- Passer au mélangeur tous les ingrédients jusqu'à l'obtention d'une texture homogène.

SAUCE AU PESTO ET AUX TOMATES SÉCHÉES

4 portions
Phase 1

INGRÉDIENTS

125 ml (1/2 tasse) de mayonnaise maison
ou de mayonnaise Montignac
60 ml (1/4 tasse) d'huile d'olive
60 ml (1/4 tasse) de pesto maison
4 tomates séchées, hachées
30 ml (2 c. à soupe) d'oignon finement haché
Poivre, au goût

PRÉPARATION

• Bien mélanger tous les ingrédients.

TARTINADE AUX LENTILLES

4 portions
Phase 1

INGRÉDIENTS

1 boîte de 540 ml (19 oz) de lentilles vertes,
rincées et égouttées
45 ml (3 c. à soupe) d'origan frais, haché
30 ml (2 c. à soupe) de jus de citron
60 ml (1/4 tasse) de jus de pomme non sucré
1 tomate, en dés
1 poivron vert haché
Sel et poivre, au goût

PRÉPARATION

- Passer au mélangeur les lentilles avec l'origan, le jus de citron et le jus de pomme. Verser dans un bol.
- Ajouter la tomate et le poivron, ainsi que le sel et le poivre.

TREMPETTE AU CARI

4 portions
Phase 1

INGRÉDIENTS

250 ml (1 tasse) de mayonnaise sans sucre
250 ml (1 tasse) de yogourt nature
5 ml (1 c. à thé) de cari
2,5 ml (1/2 c. à thé) de curcuma
1 ml (1/4 c. à thé) de gingembre moulu
1 ml (1/4 c. à thé) de paprika
Sel et poivre, au goût

PRÉPARATION

- Dans un bol, bien mélanger tous les ingrédients jusqu'à l'obtention d'un mélange homogène.
- Rectifier l'assaisonnement si nécessaire.

60

TREMPETTE AU SAUMON FUMÉ

4 portions
Phase 1

INGRÉDIENTS

250 ml (1 tasse) de ricotta
250 ml (1 tasse) de crème sure
125 g (4 oz) de saumon fumé
30 ml (2 c. à soupe) d'oignon rouge
haché très finement
15 ml (1 c. à soupe) d'aneth frais, haché
Sel et poivre, au goût

PRÉPARATION

- Hacher le saumon fumé très finement.
- Dans un grand bol, mélanger le saumon à tous les autres ingrédients.
- Pour une texture plus homogène, passer le tout au mélangeur.

TREMPETTE AU YOGOURT ET À L'AIL

4 portions
Phase 1

INGRÉDIENTS

250 ml (1 tasse) de fromage cottage

250 ml (1 tasse) de yogourt nature

2 ou 3 gousses d'ail écrasées

0,5 ml (1/8 c. à thé) de graines de céleri

15 ml (1 c. à soupe) de persil séché

1 pincée de paprika

Sel et poivre, au goût

PRÉPARATION

- Passer tous les ingrédients au mélangeur jusqu'à obtention d'une texture lisse.
- Rectifier l'assaisonnement de paprika, de sel et de poivre, si nécessaire.

TREMPETTE AUX HARICOTS BLANCS

4 portions
Phase 1

INGRÉDIENTS

1 boîte de 540 ml (19 oz) de haricots blancs,
rincés et égouttés
125 ml (1/2 tasse) de salsa maison
ou du commerce, sans sucre
1 gousse d'ail
60 ml (1/4 tasse) ou plus de jus de pomme
non sucré
Sel et poivre, au goût

PRÉPARATION

- Mettre tous les ingrédients dans le récipient du mélangeur et réduire le tout en purée jusqu'à l'obtention d'une texture lisse.
- Il est possible de varier la quantité de jus de pomme afin d'obtenir une texture plus ou moins épaisse.

TREMPETTE ROUGE

4 portions
Phase 1

INGRÉDIENTS

60 ml (1/4 tasse) de pâte de tomates
1 gousse d'ail écrasée
250 ml (1 tasse) de yogourt nature
10 ml (2 c. à thé) de ciboulette fraîche
5 ml (1 c. à thé) de moutarde de Dijon
1 ml (1/4 c. à thé) de paprika
10 ml (2 c. à thé) de tamari
2,5 ml (1/2 c. à thé) d'origan
Sel et poivre, au goût

PRÉPARATION

- Dans un bol, bien mélanger tous les ingrédients jusqu'à l'obtention d'un mélange homogène.
- Rectifier l'assaisonnement, si nécessaire.

RECETTES

SAUCES

PESTO MAISON

Donne 175 ml (3/4 tasse)

Phase 1

INGRÉDIENts

500 ml (2 tasses) de feuilles de basilic fraîches
8 gousses d'ail
5 ml (1 c. à thé) d'origan séché
60 ml (1/4 tasse) ou plus d'huile d'olive
Sel et poivre, au goût

PRÉPARATION

• Passer tous les ingrédients au mélangeur jusqu'à
  l'obtention d'une consistance homogène.

• Ajouter plus d'huile, si désiré, pour obtenir un pesto
  plus liquide.

67

SALSA MAISON

4 portions
Phase 1

INGRÉDIENTS

1 piment jalapeño finement haché
1 oignon rouge, finement haché
2 gousses d'ail écrasées
4 tomates en petits dés
1 poivron vert, finement haché
5 ml (1 c. à thé) de cumin moulu
2,5 ml (1/2 c. à thé) de paprika
2,5 ml (1/2 c. à thé) de sel
60 ml (1/4 tasse) de coriandre fraîche

PRÉPARATION

• Bien mélanger tous les ingrédients.

SAUCE AUX TOMATES

4 portions
Phase 1

INGRÉDIENTS

1 kg (2 lb) de tomates fraîches, blanchies,
en dés

OU

2 boîtes de 796 ml (28 oz) de tomates,
en dés ou écrasées

1 oignon finement haché

1 poivron vert, finement haché

227 g (1/2 lb) de champignons hachés

2 gousses d'ail écrasées

5 ml (1 c. à thé) d'origan séché

5 ml (1 c. à thé) de basilic séché

2,5 ml (1/2 c. à thé) de paprika

5 ml (1 c. à thé) de persil séché

2,5 ml (1/2 c. à thé) de thym séché

PRÉPARATION

• Dans une casserole, mettre tous les ingrédients et porter à ébullition. Baisser le feu et laisser mijoter à feu doux environ une heure.

RECETTES

PLATS
GLUCIDIQUES

BOULES DE RIZ SURPRISE

2 portions
Phase 1

250 ml (1 tasse) de riz intégral cuit
60 ml (1/4 tasse) de crème sure sans gras ou de
fromage blanc sans gras (du genre Damablanc)
5 ml (1 c. à thé) de ciboulette fraîche, hachée
1 pincée de paprika
Sel et poivre, au goût
Légumes, en petits cubes
(tomate, concombre, poivron)

PRÉPARATION

- Dans un bol, mélanger le riz avec la crème sure et les assaisonnements.
- Prélever environ 30 ml (2 c. à soupe) du mélange de riz et le déposer dans la paume de la main. Déposer un cube de légume dessus, puis refermer la main pour emprisonner le cube dans le riz. Façonner avec les mains pour obtenir une belle forme ronde.

73

Boulghour Asiatique

4 portions
Phase 1

INGRÉDIENTS

1 petit oignon haché très finement
750 ml (3 tasses) d'eau
1 ml (1/4 c. à thé) de cardamome moulue
1 ml (1/4 c. à thé) de muscade moulue
1 ml (1/4 c. à thé) de gingembre moulu
1 ml (1/4 c. à thé) de cannelle moulue
10 ml (2 c. à thé) de zeste d'orange
375 ml (1 1/2 tasse) de boulghour
Sel et poivre, au goût

PRÉPARATION

- Dans une casserole, mettre tous les ingrédients sauf le boulghour. Porter à ébullition, incorporer le boulghour, couvrir et éteindre le feu. Laisser reposer 20 minutes.
- Pour un plat moins sec, il est possible, une fois le boulghour cuit, d'ajouter de la crème sure ou du fromage blanc sans gras.

74

CHILI COMPLET

INGRÉDIENTS

1 boîte de 796 ml (28 oz) de tomates écrasées
1 boîte de 796 ml (28 oz) de tomates en dés,
avec le jus
1 oignon rouge finement haché
1 poivron vert haché
2 gousses d'ail écrasées
5 ml (1 c. à thé) de sel
10 ml (2 c. à thé) de poudre de chili
2,5 ml (1/2 c. à thé) de cumin moulu
2,5 ml (1/2 c. à thé) de coriandre moulue
1 boîte de 540 ml (19 oz) de haricots rouges,
égouttés
1 boîte de 540 ml (19 oz) de pois chiches, égouttés
125 ml (1/2 tasse) de boulghour intégral

PRÉPARATION

- Dans une grande casserole, mettre les tomates (écrasées et en dés, avec le liquide), l'oignon, le poivron, l'ail et les assaisonnements. Laisser mijoter à feu moyen environ 20 minutes.
- Ajouter les haricots rouges, les pois chiches et le boulghour, puis poursuivre la cuisson 10 minutes. On peut ajouter de l'eau s'il manque du jus.

75

COUSCOUS ENDIABLÉ

4 portions
Phase 1

INGRÉDIENTS

300 ml (1 1/4 tasse) de jus de tomate
250 ml (1 tasse) d'eau
1/2 piment jalapeño finement haché
Sel et poivre, au goût
250 ml (1 tasse) de couscous intégral
2 tomates, en dés
45 ml (3 c. à soupe) de coriandre fraîche, hachée

PRÉPARATION

- Dans une casserole, verser le jus de tomate et l'eau. Ajouter le jalapeño, le sel et le poivre, et porter à ébullition. Ajouter le couscous, couvrir et fermer le feu. Laisser reposer 10 minutes.
- Une fois la semoule cuite à point, ajouter les tomates et la coriandre.

DÉLICE AU TOFU ET AUX POIVRONS

4 portions
Phase 1

INGRÉDIENTS

1 bloc de 400 g (14 oz) de tofu ferme
15 ml (1 c. à soupe) de gingembre frais, râpé
2 oignons verts hachés
60 ml (1/4 tasse) de pâte de tomates
125 ml (1/2 tasse) de tamari
125 ml (1/2 tasse) d'eau
1 poivron rouge, haché
1 poivron vert, haché
227 g (1/2 lb) de champignons tranchés

PRÉPARATION

- Couper le tofu en petits cubes et le déposer dans un récipient pour le faire mariner.
- Dans un petit bol, bien mélanger le gingembre, les oignons verts, la pâte de tomates, le tamari et l'eau pour faire la marinade. Verser celle-ci sur le tofu, couvrir et réfrigérer au moins 4 heures ou jusqu'au lendemain.
- Dans une grande casserole, cuire les poivrons et les champignons dans un peu d'eau, environ 20 minutes. Ajouter le tofu mariné et cuire 15 minutes de plus.
- Excellent avec du riz intégral.

HARICOTS DE MAMIE

4 portions
Phase 1

INGRÉDIENTS

375 ml (1 1/2 tasse) de haricots blancs secs
(du genre pour fèves au lard)
2 l (8 tasses) d'eau
10 ml (2 c. à thé) de gros sel
1 ml (1/4 c. à thé) de poivre
5 ml (1 c. à thé) de moutarde sèche
10 ml (2 c. à thé) d'estragon frais, haché
10 ml (2 c. à thé) de ciboulette fraîche, hachée

PRÉPARATION

- Mettre les haricots secs dans un grand bol et couvrir d'eau. Laisser tremper toute la nuit.
- Jeter l'eau de trempage. Mettre les haricots dans un plat de cuisson. Ajouter les 2 l (8 tasses) d'eau, le gros sel, le poivre et la moutarde sèche. Mélanger un peu. Cuire au four à 190 °C (375 °F), environ 75 minutes.
- On peut ajouter plus d'eau pendant la cuisson si on juge qu'il en manque.
- Une fois cuits, ajouter les herbes fraîches, mélanger et servir.

LASAGNE AUX LÉGUMES

8 portions
Phase 2

INGRÉDIENTS

9 lasagnes intégrales
1 l (4 tasses) de sauce tomate sans sucre,
sans gras
1 paquet de 200 g (7 oz) d'épinards congelés,
dégelés
1 brocoli haché
1 courgette tranchée
1 poivron vert en dés
1 oignon haché
250 ml (1 tasse) de mozzarella râpée

PRÉPARATION

- Cuire les pâtes dans de l'eau bouillante jusqu'à ce qu'elles soient *al dente*.
- Pendant ce temps, blanchir tous les légumes (sauf les épinards) 2 minutes, puis les passer à l'eau froide pour arrêter la cuisson. Réserver.
- Préchauffer le four à 180 °C (350 °F).
- Dans un plat de cuisson rectangulaire de 22,5 cm x 32,5 cm (9 po x 13 po), étaler une mince couche de sauce dans le fond. Déposer 3 lasagnes côte à côte. Couvrir de sauce, puis disperser les épinards et le brocoli. Mettre trois autres lasagnes, Suite ➤

couvrir de sauce, puis ajouter les courgettes, le poivron et l'oignon. Déposer les trois dernières lasagnes
et couvrir généreusement de sauce. Garnir de mozzarella râpée.

- Mettre au four environ 20 minutes.

MACARONI CHINOIS AU TOFU

4 portions
Phase 2

INGRÉDIENTS

500 ml (2 tasses) de macaronis intégraux
1 poivron vert haché
2 oignons verts hachés
227 g (1/2 lb) de champignons tranchés
1 courgette hachée
125 ml (1/2 tasse) de tamari
1 ml (1/4 c. à thé) de gingembre moulu
1 gousse d'ail écrasée
200 g (7 oz, ou 1/2 bloc) de tofu ferme,
coupé en petits dés
1 carotte râpée

PRÉPARATION

- Cuire les macaronis dans de l'eau bouillante salée environ 10 minutes, jusqu'à ce qu'ils soient al dente. Égoutter et réserver.
- Dans une casserole, mettre le poivron, les oignons verts, les champignons, la courgette, le tamari, le gingembre et l'ail. Cuire à feu moyen environ 10 minutes. Ajouter le tofu et cuire 2 minutes additionnelles.
- Ajouter les macaronis et bien mélanger. Garnir de carotte râpée avant de servir.

81

MACARONI AUX TOMATES ET À L'ORIGAN

4 portions
Phase 2

INGRÉDIENTS

375 ml (1 1/2 tasse) de macaronis intégraux
6 tomates, en dés
2 oignons verts hachés
125 ml (1/2 tasse) d'origan frais, haché
125 ml (1/2 tasse) de jus de tomate
Sel et poivre, au goût

PRÉPARATION

- Cuire les macaronis dans de l'eau bouillante salée jusqu'à ce qu'ils soient cuits à point. Passer à l'eau froide, si désiré.
- Mettre les macaronis dans un bol et ajouter tous les ingrédients.

PAIN AUX LENTILLES

4 portions
Phase 2

1 boîte de 540 ml (19 oz) de lentilles, égouttées
125 ml (1/2 tasse) de boulghour cuit
125 ml (1/2 tasse) de fromage cottage sans gras
2 œufs
2 oignons verts hachés
4 champignons finement hachés
1/2 poivron vert finement haché
1 ml (1/8 c. à thé) de clou de girofle moulu
Sel et poivre, au goût

PRÉPARATION

- Préchauffer le four à 180 °C (350 °F).
- Dans un bol, bien mélanger tous les ingrédients.
- Verser dans un moule à pain et cuire au four environ 30 minutes.

PÂTE À PIZZA

1 croûte
Phase 2

INGRÉDIENTS

250 ml (1 tasse) de farine de blé intégrale
250 ml (1 tasse) de farine de seigle intégrale
250 ml (1 tasse) de farine de sarrasin intégrale
125 ml (1/2 tasse) de son de blé
1 œuf
15 ml (1 c. à soupe) d'huile d'olive
125 ml (1/2 tasse) d'eau chaude

PRÉPARATION

- Préchauffer le four à 180 °C (350 °F).
- Bien mélanger tous les ingrédients de façon à obtenir une pâte homogène.
- Étendre la pâte en une mince couche sur une tôle à pizza et porter au four une dizaine de minutes. Cette cuisson n'est pas longue, car ce n'est en fait qu'une précuisson.

PÂTES AU POIVRON ROUGE

4 portions
Phase 1

INGRÉDIENTS

400 g (14 oz) de spaghettis intégraux
2 poivrons rouges
125 ml (1/2 tasse) de tofu mou
(du genre Mori-Nu)
60 ml (1/4 tasse) d'eau
5 ml (1 c. à thé) de jus de citron
60 ml (1/4 tasse) de feuilles de basilic fraîches
Sel et poivre, au goût
2 oignons verts hachés
Persil frais, pour garnir

PRÉPARATION

- Cuire les spaghettis dans de l'eau bouillante environ 10 minutes, pour qu'ils soient *al dente*. Égoutter et réserver.
- Pendant ce temps, couper les poivrons en gros morceaux et les cuire à la vapeur environ 15 minutes.
- Passer au mélangeur les poivrons cuits, le tofu, l'eau, le jus de citron, le basilic, le sel et le poivre, afin d'obtenir une sauce onctueuse.
- Ajouter les oignons verts à la sauce et verser sur les pâtes. Mélanger un peu pour enrober les pâtes. Garnir de persil frais avant de servir.

85

PÂTES FACILES

INGRÉDIENTS

100 g (3 1/2) de spaghettis intégraux
175 ml (3/4 tasse) de salsa maison
ou du commerce, sans huile ni sucre
1 poivron vert haché
1 courgette hachée

PRÉPARATION

- Cuire les pâtes dans de l'eau bouillante de 6 à 7 minutes, ou jusqu'à ce qu'elles soient *al dente*. Égoutter et rincer à l'eau froide.
- Ajouter les autres ingrédients et mélanger.
- Ce plat peut être servi froid ou réchauffé.

PENNE À L'AIL ET AU BASILIC

4 portions
Phase 2

INGRÉDIENTS

500 ml (2 tasses) de pennes intégraux
3 gousses d'ail écrasées
250 ml (1 tasse) de basilic frais, haché
30 ml (2 c. à soupe) de vinaigre à l'ail
30 ml (2 c. à soupe) d'eau
1 poivron rouge haché
125 ml (1/2 tasse) d'olives noires tranchées

PRÉPARATION

- Cuire les pâtes dans de l'eau bouillante de 6 à 7 minutes ou jusqu'à ce qu'elles soient *al dente*. Passer sous l'eau froide et égoutter. Mettre dans un bol et réserver.
- Passer au mélangeur l'ail, le basilic, le vinaigre à l'ail et l'eau.
- Verser ce mélange sur les pâtes, ajouter le poivron rouge et les olives noires, et mélanger.

PILAF AUX LÉGUMES

INGRÉDIENTS

625 ml (2 1/2 tasses) de bouillon de légumes

60 ml (1/4 tasse) de riz intégral

60 ml (1/4 tasse) de riz sauvage

125 ml (1/2 tasse) d'orge

1 oignon haché

1 branche de céleri hachée

227 g (1/2 lb) de champignons hachés

1 ml (1/4 c. à thé) de thym séché

1 ml (1/4 c. à thé) de romarin séché

Sel et poivre, au goût

PRÉPARATION

• Dans une grande casserole, porter le bouillon à ébullition. Ajouter le reste des ingrédients et laisser mijoter environ 40 minutes à feu doux.

PIZZA RIZA

2 portions
Phase 2

INGRÉDIENTS

500 ml (2 tasses) de riz intégral cuit
60 ml (1/4 tasse) de fromage blanc sans gras
(du genre Damablanc)
1 ml (1/4 c. à thé) de sel
1 ml (1/4 c. à thé) d'origan séché
60 ml (1/4 tasse) de sauce à pizza sans sucre
ou de sauce tomate
4 champignons tranchés
1/4 de poivron vert tranché
1/4 de poivron rouge tranché
125 ml (1/2 tasse) de mozzarella râpée,
partiellement écrémée (facultatif)

PRÉPARATION

- Préchauffer le four à 180 °C (350 °F).
- Dans un bol, mélanger le riz, le fromage blanc, le sel et l'origan.
- Séparer le mélange de riz en 4 parties. Sur une plaque à biscuits, abaisser chaque partie en un cercle d'environ 10 cm (4 po) de diamètre. Ces cercles constitueront la croûte des pizzas.

Suite ➤

89

- Étendre un peu de sauce à pizza sur le riz, garnir de légumes et, si désiré, de mozzarella.
- Cuire au four de 7 à 8 minutes.

Riz intégral aux herbes

INGRÉDIENTS

250 ml (1 tasse) de riz intégral
625 ml (2 1/2 tasses) d'eau
2,5 ml (1/2 c. à thé) de basilic séché
2,5 ml (1/2 c. à thé) d'origan séché
2,5 ml (1/2 c. à thé) de persil séché
2,5 ml (1/2 c. à thé) de cerfeuil séché
2,5 ml (1/2 c. à thé) d'estragon séché
2,5 ml (1/2 c. à thé) de poudre d'ail
2,5 ml (1/2 c. à thé) de poudre d'oignon
2,5 ml (1/2 c. à thé) de paprika
2,5 ml (1/2 c. à thé) de sel

PRÉPARATION

- Dans une casserole, porter l'eau à ébullition. Baisser le feu et ajouter tous les ingrédients. Cuire à feu doux environ 45 minutes.

Salade aux 4 haricots

4 portions
Phase 1

INGRÉDIENTS

250 ml (1 tasse) de pois chiches cuits
250 ml (1 tasse) de haricots rouges cuits
250 ml (1 tasse) de haricots noirs cuits
250 ml (1 tasse) de fèves de Lima cuites
45 ml (3 c. à soupe) d'oignon rouge
finement haché
10 feuilles de basilic frais, hachées
30 ml (2 c. à soupe) de vinaigre balsamique
30 ml (2 c. à soupe) de jus de pomme non sucré
1 gousse d'ail écrasée
5 ml (1 c. à thé) d'origan séché
Sel et poivre, au goût

PRÉPARATION

- Bien mélanger tous les ingrédients et laisser refroidir 30 minutes avant de servir.

SALADE DE BOULGHOUR AUX HERBES FRAÎCHES

4 portions
Phase 1

INGRÉDIENTS

250 ml (1 tasse) de boulghour entier
250 ml (1 tasse) d'eau
250 ml (1 tasse) de jus d'orange non sucré
125 ml (1/2 tasse) de fromage blanc sans gras
(du genre Damablanc)
60 ml (1/4 tasse) de coriandre fraîche, hachée
60 ml (1/4 tasse) de menthe fraîche, hachée
60 ml (1/4 tasse) d'origan frais, haché
15 ml (1 c. à soupe) de persil frais, haché
15 ml (1 c. à soupe) d'estragon frais, haché
2 branches de céleri hachées
1 carotte râpée
1 poivron vert, haché
Sel et poivre, au goût

PRÉPARATION

- Dans une casserole, porter l'eau et le jus d'orange à ébullition. Ajouter le boulghour, couvrir et fermer le feu. Laisser reposer 20 minutes.
- Ajouter tous les autres ingrédients, puis servir tiède ou froid.

93

SALADE DE LENTILLES

INGRÉDIENTS

750 ml (3 tasses) de lentilles cuites

250 ml (1 tasse) de carottes râpées

3 oignons verts hachés

125 ml (1/2 tasse) de céleri haché

60 ml (1/4 tasse) de jus de pomme non sucré

2 gousses d'ail écrasées

1 ml (1/4 c. à thé) de feuilles de laurier moulues

1 ml (1/4 c. à thé) de thym moulu

125 ml (1/2 tasse) de persil frais, haché

15 ml (1 c. à soupe) de jus de citron frais

Sel et poivre, au goût

PRÉPARATION

- Dans un bol, bien mélanger tous les ingrédients.
- Rectifier l'assaisonnement au besoin.

SALADE DE POIS CHICHES AU CARI

4 portions
Phase 1

INGRÉDIENTS

1 l (4 tasses) de pois chiches cuits
1 poivron rouge haché
1 échalote hachée
15 ml (1 c. à soupe) de vinaigre de vin
15 ml (1 c. à soupe) de jus de citron frais
30 ml (2 c. à soupe) de jus d'orange frais
1 gousse d'ail écrasée
30 ml (2 c. à soupe) de persil frais, haché
15 à 30 ml (1 à 2 c. à soupe) de cari en poudre, au goût
Sel et poivre, au goût

PRÉPARATION

- Dans un grand bol, mettre les pois chiches, le poivron rouge et l'échalote. Remuer légèrement.
- Dans un petit bol, bien mélanger le reste des ingrédients et verser sur les pois chiches. Remuer pour bien enrober les légumes de la sauce.

95

Salade de riz

INGRÉDIENTS

500 ml (2 tasses) de riz intégral cuit
2 carottes râpées
3 branches de céleri hachées
2 tomates, en dés
2 oignons verts hachés
60 ml (1/4 tasse) de crème sure sans gras
15 ml (1 c. à soupe) de jus de citron
15 ml (1 c. à soupe) de jus de pomme non sucré
2,5 ml (1/2 c. à thé) de moutarde de Dijon
2,5 ml (1/2 c. à thé) d'origan séché
Sel et poivre, au goût

PRÉPARATION

- Dans un grand bol, mettre le riz et les légumes. Réserver.
- Dans un petit bol, mélanger la crème sure, le jus de citron, le jus de pomme, la moutarde de Dijon et les assaisonnements. Verser sur le riz et les légumes, et mélanger, si désiré.

SALADE DE RIZ SAUVAGE

2 portions
Phase 1

INGRÉDIENTS

2 tomates
2 branches de basilic frais
2 oignons verts
250 ml (1 tasse) de riz sauvage cuit
250 ml (1 tasse) de laitue hachée
5 ml (1 c. à thé) de jus de citron

PRÉPARATION

- Couper les tomates en cubes et les déposer dans un bol.
- Hacher le basilic et les oignons. Les ajouter dans le bol.
- Ajouter le riz, la laitue et le jus de citron et mélanger.
- Servir.

SALADE MEXICAINE

INGRÉDIENTS

250 ml (1 tasse) de riz basmati

500 ml (2 tasses) d'eau

125 ml (1/2 tasse) ou plus de crème sure
sans gras

1 ml (1/4 c. à thé) de coriandre séchée

1 pincée de poudre de chili

1 boîte de 540 ml (19 oz) de haricots noirs,
rincés et égouttés

1 poivron rouge haché

1 poivron vert haché

60 ml (1/4 tasse) d'oignon rouge haché

Sel et poivre, au goût

125 ml (1/2 tasse) de salsa maison
ou du commerce, sans sucre

PRÉPARATION

- Mettre l'eau et le riz dans une casserole et porter à ébullition, en remuant avec une cuillère de bois. Cuire à feu doux environ 3 minutes. Retirer du feu et couvrir, afin de laisser le riz absorber toute l'eau, ce qui prendra environ 15 minutes. Laisser refroidir.

Suite ➤

- Dans un bol, mélanger la crème sure, la coriandre et la poudre de chili. Verser le riz et remuer. Ajouter les haricots noirs, les poivrons et l'oignon. Saler et poivrer.
- Garnir de salsa au moment de servir.

TABOULÉ

4 portions
Phase 2

INGRÉDIENTS

500 ml (2 tasses) d'eau

250 ml (1 tasse) de boulghour intégral

125 ml (1/2 tasse) de persil frais, haché

60 ml (1/4 tasse) de menthe fraîche, hachée

60 ml (1/4 tasse) de jus de citron

60 ml (1/4 tasse) d'huile d'olive

Sel et poivre, au goût

2 oignons verts hachés

4 tomates en dés

PRÉPARATION

- Porter l'eau à ébullition dans une casserole. Ajouter le boulghour, couvrir, retirer du feu et laisser reposer 15 minutes. Refroidir.
- Dans un bol, mélanger le persil, la menthe, le jus de citron, l'huile, le sel et le poivre.
- Dans un grand bol, mélanger le boulghour refroidi, la vinaigrette, les tomates et les oignons verts.

TORTILLAS MAISON

8 portions
Phase 2

INGRÉDIENTS

875 ml (3 1/2 tasses) de farine intégrale
7 ml (1 1/2 c. à thé) de levure chimique
3 ml (3/4 c. à thé) de sel
45 ml (3 c. à soupe) d'huile d'olive
300 ml (1 1/4 tasse) d'eau

PRÉPARATION

- Dans un bol, mélanger la farine, la levure chimique et le sel. À l'aide d'une fourchette, amalgamer l'huile afin qu'elle soit bien répartie. Ajouter l'eau et mélanger jusqu'à l'obtention d'une pâte homogène.
- Sur une surface de travail légèrement farinée, pétrir la pâte jusqu'à ce qu'elle soit lisse et qu'elle se tienne bien. Il est important de ne pas trop pétrir. Diviser la pâte en huit et façonner chaque partie en boule. Couvrir et laisser reposer 30 minutes.
- Abaisser chaque boule en galette d'environ 25 cm (10 po) de diamètre.
- Chauffer un poêlon à feu moyen. Cuire chaque tortilla 1 ou 2 minutes de chaque côté, jusqu'à ce qu'elle commence à dorer. Déposer les tortillas dans une assiette, en prenant soin de mettre une feuille de papier ciré entre chacune.
- Conserver les tortillas cuites au réfrigérateur.

RECETTES

SANDWICHS

PITA AU CONCOMBRE

2 portions
Phase 1

INGRÉDIENTS

1 concombre haché très finement
15 ml (1 c. à soupe) de poivron rouge
haché très finement
1 oignon vert haché finement
1 gousse d'ail écrasée
5 ml (1 c. à thé) de persil frais, haché
60 ml (1/4 tasse) de crème sûre sans gras
Sel et poivre, au goût
2 pitas à base de farine intégrale
Luzerne

PRÉPARATION

- Dans un bol, bien mélanger le concombre, le poivron, l'oignon vert, l'ail, le persil, la crème sûre, le sel et le poivre. Réserver.
- Couper les pitas en deux et les ouvrir pour en faire des pochettes.
- Garnir l'intérieur des pitas du mélange au concombre et ajouter de la luzerne. Servir.

ROULÉ DU JARDIN

1 portion
Phase 1

INGRÉDIENTS

1 tortilla à base de farine intégrale
Hoummos sans gras
1 feuille de laitue
1 carotte râpée
2 tranches de tomates
Quelques lanières de poivrons
Crème sure (facultatif)

PRÉPARATION

- Tartiner la tortilla de hoummos. Déposer la feuille de laitue et mettre les légumes dessus. Ajouter un peu de crème sure, si désiré.
- Rouler la tortilla avec les légumes à l'intérieur de façon à obtenir un gros rouleau.

106

SANDWICH AU BEURRE D'ARACHIDE RÉINVENTÉ

1 portion
Phase 2

INGRÉDIENTS

2 tranches de pain intégral Montignac
30 ml (2 c. à soupe) de beurre d'arachide nature
(sans sucre ni gras ajoutés)
0,5 ml (1/8 c. à thé) de cannelle
15 ou 30 ml (1 ou 2 c. à soupe) de compote
de pommes sans sucre
Carottes râpées
Feuilles de laitue Boston

PRÉPARATION

- Dans un petit bol, mélanger le beurre d'arachide et la cannelle. Étendre ce mélange sur une des deux tranches de pain et réserver. Sur l'autre tranche, étendre la compote de pommes.
- Déposer les carottes râpées sur la tranche de pain garnie de beurre d'arachide. Mettre une ou deux feuilles de laitue et recouvrir de la tranche de pain, garnie de compote de pommes. Et voilà!

SANDWICH AU FROMAGE

1 portion
Phase 2

INGRÉDIENTS

2 tranches de pain intégral
45 ml (3 c. à soupe) de ricotta à faible teneur
en matières grasses
15 ml (1 c. à soupe) de poivron rouge,
finement haché
1 cornichon à l'aneth finement haché
1 branche de céleri finement hachée
1 oignon vert finement haché
3 ou 4 feuilles de basilic fraîches,
finement hachées
Sel et poivre, au goût
Luzerne ou laitue, pour garnir

PRÉPARATION

- Dans un bol, mélanger le fromage, les légumes, le basilic, le sel et le poivre.
- Étendre ce mélange sur une tranche de pain, déposer de la luzerne ou de la laitue, recouvrir de la seconde tranche de pain.

TORTILLAS AUX COURGETTES

2 portions
Phase 2

INGRÉDIENTS

125 ml (1/2 tasse) de crème sure sans gras
15 ml (1 c. à soupe) d'oignon rouge
haché très finement
2,5 ml (1/2 c. à thé) de gingembre frais, râpé
1 échalote hachée
1 ml (1/4 c. à thé) de cannelle moulue
1 gousse d'ail écrasée
1 ml (1/8 c. à thé) de poudre de chili
1 ml (1/8 c. à thé) de cumin moulu
Sel et poivre, au goût
500 ml (2 tasses) de courgettes râpées
2 tortillas de farine de blé intégral

PRÉPARATION

- Dans un bol, bien mélanger tous les ingrédients sauf les tortillas.
- Tartiner les deux tortillas de ce mélange et rouler.

RECETTES

ŒUFS

CASSEROLE AUX ŒUFS ET AU BROCOLI

4 portions
Phase 1

INGRÉDIENTS

6 œufs cuits durs
1 brocoli blanchi, en bouquets
250 ml (1 tasse) de sauce tomate maison
250 ml (1 tasse) de mozzarella râpée

PRÉPARATION

- Préchauffer le four à 180 °C (350 °F).
- Huiler légèrement un plat de cuisson. Déposer les œufs au fond et mettre le brocoli par-dessus.
- Verser la sauce sur le brocoli et garnir de mozzarella.
- Cuire au four environ 10 minutes, le temps de faire fondre le fromage.

QUICHE AUX COURGETTES SANS CROÛTE

2 portions

Phase 1

INGRÉDIENTS

6 œufs

60 ml (1/4 tasse) de lait

2 oignons verts hachés

1 courgette râpée

5 ml (1 c. à thé) d'origan séché

1 pincée de poudre d'oignon

1 pincée de poudre d'ail

125 ml (1/2 tasse) de cheddar fort, râpé

Sel et poivre, au goût

PRÉPARATION

- Préchauffer le four à 180 °C (350 °F).
- Dans un bol, fouetter les œufs avec le lait. Ajouter tous les autres ingrédients, bien mélanger et verser dans un moule à tarte huilé.
- Cuire au four environ 30 minutes.

ROULÉ AUX ŒUFS, AU PESTO ET AU POULET

1 portion
Phase 1

INGRÉDIENTS

3 œufs
5 ml (1 c. à thé) ou plus de pesto
Sel et poivre, au goût
125 ml (1/2 tasse) de poulet cuit, en cubes
125 ml (1/2 tasse) de bouquets de brocoli blanchi
2 champignons tranchés
60 ml (1/4 tasse) de cheddar fort, râpé

PRÉPARATION

- Préchauffer le four à 180 °C (350 °F).
- Dans un bol, battre les œufs et le pesto. Saler et poivrer.
- Huiler le fond d'un moule à tarte et y verser le mélange d'œufs. Sur les œufs, déposer le poulet, le brocoli et les champignons. Garnir de cheddar râpé.
- Cuire au four environ 30 minutes ou jusqu'à ce que les œufs soient cuits au goût. Laisser refroidir quelques minutes. Passer une spatule sous les œufs pour bien les décoller de l'assiette. Rouler et réfrigérer.
- Peut se servir chaud ou froid.

115

SALADE AUX ŒUFS ET AU BROCOLI

2 portions

Phase 1

INGRÉDIENTS

4 œufs durs, tranchés
500 ml (2 tasses) de bouquets de brocoli blanchi
2 radis finement hachés
8 tomates cerises, en quartiers
Vinaigrette maison ou vinaigrette Montignac
4 feuilles de laitue Boston

PRÉPARATION

- Mettre les œufs et les légumes dans un bol et y incorporer la vinaigrette au choix.
- Servir sur 2 feuilles de laitue Boston.

TARTINADE AUX ŒUFS

INGRÉDIENTS

6 œufs
60 ml (1/4 tasse) de mayonnaise maison
ou de mayonnaise Montignac
60 ml (1/4 tasse) de yogourt nature
5 ml (1 c. à thé) de ciboulette fraîche, hachée
5 ml (1 c. à thé) de persil frais, haché
3 ml (1/2 c. à thé) d'origan séché
30 ml (2 c. à soupe) de poivron rouge,
finement haché
30 ml (2 c. à soupe) de céleri finement haché
Sel et poivre, au goût

PRÉPARATION

- Mettre les œufs dans une casserole (dans leur coquille) et les couvrir d'eau froide. Porter à ébullition. Lorsque l'eau bout, baisser le feu à moyen-vif. Après 10 minutes, mettre les œufs dans de l'eau très froide.
- Enlever la coquille des œufs, puis écraser les jaunes et les blancs à la fourchette.
- Dans un bol, mélanger les œufs écrasés et tous les autres ingrédients jusqu'à l'obtention d'une texture onctueuse.

RECETTES

POISSONS
ET FRUITS
DE MER

CÉLERI FARCI

2 portions
Phase 1

1 boîte de 170 g (6 oz) de thon dans l'eau,
égoutté
1/2 poivron rouge, finement haché
1 oignon vert haché
5 ml (1 c. à thé) d'huile d'olive
15 ml (1 c. à soupe) de vinaigre balsamique
1 ml (1/4 c. à thé) d'origan séché
Sel et poivre, au goût
Branches de céleri

PRÉPARATION

- Dans un bol, bien mélanger le thon, le poivron, l'oignon vert, l'huile, le vinaigre, l'origan, le sel et le poivre.
- Bien laver et sécher les branches de céleri. Garnir les branches avec le mélange de thon.

CREVETTES AU GINGEMBRE

4 portions
Phase 1

INGRÉDIENTS

60 ml (1/4 tasse) d'huile d'olive
60 ml (1/4 tasse) de jus de pamplemousse
30 ml (2 c. à soupe) de gingembre frais, râpé
2 gousses d'ail écrasées
Sel et poivre, au goût
900 g (2 lb) de crevettes décortiquées

PRÉPARATION

- Dans un bol, mélanger l'huile, le jus de pample-mousse, le gingembre, l'ail, le sel et le poivre. Ajouter les crevettes et laisser reposer 5 minutes.
- Dans une poêle antiadhésive, verser les crevettes et, si désiré, la marinade, puis cuire à feu moyen-vif 3 ou 4 minutes jusqu'à ce que les crevettes soient roses.

CREVETTES AUX TOMATES SÉCHÉES

2 portions
Phase 1

INGRÉDIENTS

15 ml (1 c. à soupe) d'huile d'olive
1 gousse d'ail écrasée
1 échalote hachée
454 g (1 lb) de crevettes fraîches, déveinées
45 ml (3 c. à soupe) de tomates séchées,
dans l'huile, hachées
2,5 ml (1/2 c. à thé) d'origan séché
Sel et poivre, au goût

PRÉPARATION

- Dans un poêlon, faire chauffer l'huile à feu moyen. Y jeter l'ail et l'échalote, et cuire 1 ou 2 minutes.
- Ajouter les crevettes, les tomates séchées et les assaisonnements. Cuire 3 ou 4 minutes jusqu'à ce que les crevettes aient pris une teinte rosée.

FESTIN MARIN

INGRÉDIENTS

1 boîte de 170 g (6 oz) de saumon
1 œuf battu
30 ml (2 c. à soupe) de lait
1 oignon vert haché
1 ml (1/4 c. à thé) d'origan

PRÉPARATION

- Préchauffer le four à 200 °C (400 °F).
- Dans un bol, bien mélanger tous les ingrédients.
- Verser dans un plat de cuisson et mettre au four environ 20 minutes.

MOUSSE AU THON

4 portions
Phase 1

INGRÉDIENTS

1 jaune d'œuf
1 ml (1/4 c. à thé) de sel
80 ml (1/3 tasse) d'huile d'olive
60 ml (1/4 tasse) de crème 15 %
3 boîtes de 170 g (6 oz) de thon dans l'eau,
avec le jus

PRÉPARATION

- Dans un bol, fouetter le jaune d'œuf et le sel. Incorporer l'huile en mince filet, en fouettant continuellement, jusqu'à l'obtention d'une consistance assez ferme. Réserver.
- Dans un autre bol, fouetter la crème et réserver.
- Passer le thon et son liquide au mélangeur. Verser cette préparation dans un bol et y ajouter le mélange d'huile ainsi que la crème fouettée. Mélanger jusqu'à homogénéité.
- Verser dans un moule à pain et lisser le dessus. Réfrigérer au moins six heures.

POIVRONS FARCIS AUX FRUITS DE MER

2 portions
Phase 1

INGRÉDIENTS

2 poivrons
170 g (1 boîte) de chair de crabe
250 ml (1 tasse) de petites crevettes cuites
125 ml (1/2 tasse) de crème sure
60 ml (1/4 tasse) d'aneth frais, haché
15 ml (1 c. à soupe) de persil frais, haché
2 oignons verts hachés
1 branche de céleri hachée
2 gouttes de tabasco
Sel et poivre, au goût

PRÉPARATION

- Couper les poivrons en deux sur le sens de la longueur et en retirer le cœur et les graines. Réserver.
- Dans un bol, mélanger le reste des ingrédients. Déposer ce mélange dans les demi-poivrons.

SALADE DE CHOU-FLEUR ET DE SAUMON À L'ESTRAGON

2 portions

Phase 1

INGRÉDIENTS

60 ml (1/4 tasse) d'huile d'olive
30 ml (2 c. à soupe) de vinaigre à l'estragon
15 ml (1 c. à soupe) de jus de pomme non sucré
15 ml (1 c. à soupe) d'estragon frais, haché
Sel et poivre, au goût
1 chou-fleur blanchi, en petits bouquets
1 blanc de poireau haché
200 g (7 oz) de saumon cuit

PRÉPARATION

- Dans un bol, mélanger l'huile, le vinaigre à l'estragon, le jus de pomme, l'estragon frais, le sel et le poivre. Réserver.
- Répartir le chou-fleur, le poireau et le saumon dans deux contenants pour lunch et arroser de vinaigrette.

SALADE DE CREVETTES

4 portions
Phase 1

INGRÉDIENTS

500 ml (2 tasses) de pois mange-tout
1 courgette hachée
1 poivron rouge émincé
2 oignons verts émincés
454 g (1 lb) de crevettes cuites
60 ml (1/4 tasse) de vinaigre de riz
60 ml (1/4 tasse) d'huile d'olive
15 ml (1 c. à soupe) de sauce soya
15 ml (1 c. à soupe) de gingembre frais, râpé
5 ml (1 c. à thé) de jus de lime
1 ml (1/4 c. à thé) de pâte de piments forts

PRÉPARATION

- Couper les pois mange-tout en 2 et les blanchir 2 minutes. Passer sous l'eau froide pour arrêter la cuisson. Réserver.
- Mettre les légumes dans un bol et déposer les crevettes cuites sur le dessus.
- Dans un autre bol, bien mélanger le vinaigre, l'huile, la sauce soya, le gingembre, le jus de lime et la pâte de piments forts pour faire la vinaigrette.
- Verser la vinaigrette sur les légumes et les crevettes, et mélanger, si désiré.

Bouillon amusant
page 29

Soupe au poulet et aux légumes – page 35

Chili complet – page 75

**Délice au tofu
et aux poivrons** – page 77

Pâtes faciles
page 86

Roulé du jardin
page 106

**Sandwich au beurre
d'arachide réinventé**
page 107

**Sandwich
au fromage**
page 108

Quiche aux courgettes sans croûte – page 114

Salade grecque aux crevettes – page 132

Bateaux cornichons – page 142

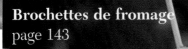

Brochettes de fromage
page 143

Canapés au concombre
page 144

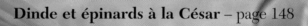

Dinde et épinards à la César – page 148

**Roulades
de courgette**
page 157

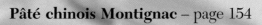

Pâté chinois Montignac – page 154

Roulés de jambon aux légumes
page 158

Salade d'avocat et de poulet cajun
page 160

Salade fajitas – page 166

Salade poulet-bouquets – page 168

Marinade jardinière
page 174

**Salade
de courgettes**
page 179

Salade rubis – page 183

**Salade soleil
à l'estragon**
page 184

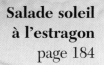

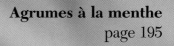

Agrumes à la menthe
page 195

**Frappé
aux pêches**
page 190

Gélatine orange-kiwi – page 203

Mousse
au chocolat
page 204

Velouté aux framboises
page 209

**Nuages
aux fraises**
page 205

Salade
DE POIS MANGE-TOUT

4 portions
Phase 1

INGRÉDIENTS

750 ml (3 tasses) de pois mange-tout
1 salade frisée
1/2 scarole
1/2 radicchio
1 poivron rouge émincé
1 boîte de 170 g (6 oz) de thon, égoutté
Vinaigrette maison ou vinaigrette Montignac
Sel et poivre, au goût

PRÉPARATION

- Couper les pois mange-tout en deux et les blanchir 2 minutes. Les passer ensuite à l'eau froide pour arrêter la cuisson. Réserver.
- Laver les salades, les essorer et les hacher.
- Mélanger tous les ingrédients, saler et poivrer.

SALADE DE SAUMON

INGRÉDIENTS

1 boîte de 170 g (6 oz) de saumon, égoutté

1 concombre haché

1 laitue Boston, déchiquetée

2 échalotes hachées

1 branche de céleri hachée

5 radis hachés

125 ml (1/2 tasse) d'huile d'olive

30 ml (2 c. à soupe) de vinaigre de vin

15 ml (1 c. à soupe) d'estragon frais, haché

5 ml (1 c. à thé) d'aneth frais, haché

Sel et poivre, au goût

PRÉPARATION

- Mélanger le saumon et les légumes dans un bol.
- Dans un autre bol, mélanger l'huile, le vinaigre de vin et les assaisonnements pour faire la vinaigrette.
- Verser la vinaigrette sur les légumes et le saumon.

SALADE DE THON ET DE CONCOMBRE

4 portions
Phase 1

INGRÉDIENTS

1 concombre anglais, coupé en dés
2 boîtes de 170 g (6 oz) de thon, égoutté
1/2 poivron rouge haché
125 ml (1/2 tasse) de yogourt nature
125 ml (1/2 tasse) de crème sure
1 gousse d'ail écrasée
1 ml (1/4 c. à thé) de paprika
2,5 ml (1/2 c. à thé) d'origan séché
5 ml (1 c. à thé) de persil frais, haché
Sel et poivre, au goût
Quelques feuilles de laitue frisée

PRÉPARATION

- Dans un grand bol, mélanger le concombre, le thon, le poivron, le yogourt, la crème sure, l'ail et les assaisonnements.
- Servir sur des feuilles de laitue frisée.

131

SALADE GRECQUE AUX CREVETTES

4 portions
Phase 1

INGRÉDIENTS

2 tomates, en dés

1 concombre, en dés

1/2 oignon rouge, en tranches minces

1 laitue romaine, déchiquetée

60 ml (1/4 tasse) de feta hachée

500 ml (2 tasses) de crevettes cuites

125 ml (1/2 tasse) d'huile d'olive

30 ml (2 c. à soupe) de vinaigre balsamique

15 ml (1 c. à soupe) de jus de citron

60 ml (1/4 tasse) de jus de pomme non sucré

2,5 ml (1/2 c. à thé) de basilic séché

2,5 ml (1/2 c. à thé) d'origan séché

2,5 ml (1/2 c. à thé) de menthe séchée

1 gousse d'ail écrasée

Sel et poivre, au goût

PRÉPARATION

- Dans un grand bol, mélanger les légumes et les crevettes.

Suite ➤

- Dans un plus petit bol, mélanger les autres ingrédients afin de faire la vinaigrette.
- Verser la vinaigrette sur les légumes et les crevettes.

SALADE MARINE

INGRÉDIENTS

225 g (1/2 lb) de petits pétoncles cuits

225 g (1/2 lb) de crevettes cuites

170 g (1 boîte) de chair de crabe

1 poivron rouge haché

1 poivron jaune haché

2 oignons verts hachés

60 ml (1/4 tasse) d'aneth frais, haché

30 ml (2 c. à soupe) de jus de citron

1 gousse d'ail écrasée

125 ml (1/2 tasse) de crème sure

Sel et poivre, au goût

1 laitue Boston déchiquetée

PRÉPARATION

- Dans un grand bol, mettre les fruits de mer et les légumes. Réserver.
- Dans un petit bol, mélanger l'aneth, le jus de citron, l'ail, la crème sure, le sel et le poivre. Verser sur les fruits de mer et mélanger.
- Servir ce mélange sur un lit de laitue Boston.

134

SAUMON AUX HERBES

4 portions
Phase 1

INGRÉDIENTS

1 saumon d'environ 1,5 kg (3 lb),
paré et la tête coupée
1 orange, en tranches
1 citron, en tranches
1 lime, en tranches
Graines d'aneth
Ciboulette fraîche
Graines de céleri
Sel et poivre

PRÉPARATION

- Préchauffer le four à 180 °C (350 °F).
- Placer une feuille de papier d'aluminium sur une plaque à biscuits. Y déposer le saumon. Ouvrir le poisson et parsemer l'intérieur des tranches d'orange, de citron et de lime, en alternance. Saupoudrer, au goût, de graines d'aneth, de ciboulette et de graines de céleri. Saler et poivrer. Mettre une autre feuille de papier d'aluminium sur le dessus et bien plier tous les côtés afin de refermer la papillote.
- Cuire au four environ une heure.

Suite ➤

- Une fois la cuisson terminée, il est préférable d'enlever les arêtes immédiatement, car le travail se fait plus facilement quand le poisson est chaud.
- Excellent pour les salades, sandwichs ou autres recettes.

THON ET HARICOTS ROUGES EN SALADE

4 portions
Phase 2

INGRÉDIENTS

1/2 brocoli en bouquets
1 boîte de 540 ml (19 oz) de haricots rouges,
rincés et égouttés
2 boîtes de 170 g (6 oz) de thon, égoutté
2 oignons verts hachés
2 branches de céleri hachées
30 ml (2 c. à soupe) de jus de citron
60 ml (1/4 tasse) d'origan frais, haché
30 ml (2 c. à soupe) d'huile d'olive
Sel et poivre, au goût

PRÉPARATION

- Blanchir le brocoli 2 minutes dans l'eau bouillante. Passer sous l'eau froide pour arrêter la cuisson. Réserver.
- Dans un bol, mettre les haricots rouges, le thon, les oignons verts, le céleri et le brocoli blanchi. Réserver.
- Dans un petit bol, faire la vinaigrette avec le reste des ingrédients. Verser sur les légumes et le thon.

RECETTES

VIANDES
ET FROMAGES

ASPERGES EN SALADE

2 portions
Phase 1

INGRÉDIENTS

30 asperges environ
4 œufs
500 ml (2 tasses) de jambon blanc, en cubes
1 poivron rouge émincé
30 ml (2 c. à soupe) d'oignon rouge
très finement haché
Vinaigrette maison ou vinaigrette Montignac
Sel et poivre, au goût

PRÉPARATION

- Parer les asperges. Les blanchir 2 minutes à l'eau bouillante, puis les passer sous l'eau froide pour arrêter la cuisson. Réserver.
- Mettre les œufs dans une petite casserole et les couvrir d'eau froide. Porter à ébullition, baisser légèrement le feu et laisser cuire 10 minutes. Jeter l'eau de cuisson et couvrir les œufs d'eau froide pour arrêter la cuisson. Enlever la coquille et couper les œufs en quatre. Réserver.
- Dans un bol, mélanger les asperges, le jambon, le poivron, l'oignon et la vinaigrette. Déposer les quartiers d'œufs sur le dessus. Saler et poivrer.

141

BATEAUX CORNICHONS

1 portion
Phase 1

INGRÉDIENTS

2 cornichons frais (non marinés)
d'environ 15 cm (6 po) de long
125 ml (1/2 tasse) de bœuf cuit, en petits cubes
1/2 branche de céleri finement hachée
2,5 ml (1/2 c. à thé) de ciboulette fraîche
30 ml (2 c. à soupe) de mayonnaise sans sucre
ou de mayonnaise Montignac
5 ml (1 c. à thé) de moutarde

PRÉPARATION

- Couper les concombres en deux sur le sens de la longueur. Enlever la chair en creusant l'intérieur avec une petite cuillère.
- Hacher finement la chair du concombre et la mélanger avec tous les autres ingrédients (bœuf, céleri, ciboulette, mayonnaise, moutarde).
- Remplir les cornichons de ce mélange.

142

BROCHETTES DE FROMAGE

2 portions

Phase 1

INGRÉDIENTS

4 cubes de cheddar doux [1,5 cm (1/2 po) de côté]

4 cubes de gruyère [1,5 cm (1/2 po) de côté]

4 cubes de mozzarella [1,5 cm (1/2 po) de côté]

4 morceaux de poivron vert

4 morceaux de poivron rouge

Origan séché

Basilic séché

PRÉPARATION

- Sur 4 petites brochettes de bois, enfiler un cube de cheddar, un morceau de poivron vert, un cube de gruyère, un morceau de poivron rouge et un cube de mozzarella.
- Saupoudrer d'origan séché et de basilic séché, au goût.

CANAPÉS AU CONCOMBRE

1 portion
Phase 1

INGRÉDIENTS

Moutarde de Dijon
8 tranches de concombre
de 2 mm (1/8 po) d'épaisseur
2 tranches de jambon
4 tranches carrées de jarlsberg
de 3 cm x 3 cm (1 1/4 po x 1 1/4 po)

PRÉPARATION

- Déposer une petite noix de moutarde de Dijon au centre de quatre tranches de concombre. Réserver.
- Placer les deux tranches de jambon l'une par-dessus l'autre sur la surface de travail. Couper cette nouvelle tranche double épaisseur en quatre carrés égaux.
- Déposer une tranche de jambon (2 épaisseurs) sur chaque tranche de concombre préalablement garnie de moutarde de Dijon. Mettre une tranche de fromage, puis une tranche de concombre nature sur le dessus de chaque canapé, et piquer un cure-dent au centre afin de maintenir le tout en place.

144

CASSEROLE DE BOULETTES DE VEAU

4 portions
Phase 1

INGRÉDIENTS

454 g (1 lb) de veau maigre, haché
Huile d'olive
227 g (1/2 lb) de champignons coupés en 4
1 courgette, en dés
1/2 chou-fleur, en petits bouquets
375 ml (1 1/2 tasse) de sauce tomate maison
ou du commerce, sans sucre
250 ml (1 tasse) de mozzarella râpée
30 ml (2 c. à soupe) de parmesan râpé

PRÉPARATION

- Former des petites boulettes de veau haché et les faire revenir dans un peu d'huile d'olive quelques minutes, pour qu'elles soient bien dorées. Les mettre dans un plat à gratin et réserver.

- Ajouter un petit peu d'huile dans la sauteuse et faire revenir les légumes 2 ou 3 minutes, pour les colorer légèrement. Les mettre avec les boulettes.

- Verser la sauce tomate sur les boulettes et les légumes, et mélanger un peu. Garnir de mozzarella et de parmesan.

- Mettre sous le gril du four 5 minutes, le temps de faire fondre le fromage.

145

CHOP SUEY AU POULET

INGRÉDIENTS

15 ml (1 c. à soupe) d'huile végétale
1 oignon haché
1 poivron vert haché
2 l (8 tasses) de fèves germées
60 ml (1/4 tasse) de tamari
500 ml (2 tasses) de poulet cuit, en dés
60 ml (1/4 tasse) d'arachides nature (non salées)

PRÉPARATION

- Dans une grande casserole, chauffer l'huile à feu moyen, et y faire revenir l'oignon et le poivron vert environ 5 minutes.
- Ajouter les fèves germées et le tamari, puis cuire environ 15 minutes.
- Ajouter le poulet cuit et cuire 1 minute de plus.
- Garnir d'arachides.

CRETONS DE DINDE

4 portions
Phase 1

INGRÉDIENTS

900 g (2 lb) de dinde hachée
1 oignon finement haché
375 ml (1 1/2 tasse) de lait
1 ml (1/4 c. à thé) de clou de girofle moulu
2,5 ml (1/2 c. à thé) de cannelle moulue
5 ml (1 c. à thé) de sel
1 ml (1/4 c. à thé) de poivre

PRÉPARATION

- Dans une grande casserole, faire revenir à feu moyen dans un peu d'huile la dinde hachée et l'oignon.
- Ajouter le lait et les assaisonnements, puis porter à ébullition. Baisser le feu et laisser mijoter 2 heures à feu doux. Remuer de temps à autre avec une cuillère de bois.
- Verser le mélange dans un moule carré, couvrir de papier d'aluminium et réfrigérer au moins 8 heures.

DINDE ET ÉPINARDS À LA CÉSAR

4 portions
Phase 1

INGRÉDIENTS

400 g (14 oz) d'épinards frais, parés et hachés
2 oignons verts hachés
750 ml (3 tasses) de dinde cuite, en dés
Vinaigrette César maison ou du commerce,
sans sucre
Parmesan frais, râpé (facultatif)

PRÉPARATION

- Dans un bol, mélanger les épinards, les oignons verts et la sauce César.
- Déposer la dinde sur les épinards et garnir de parmesan, si désiré.

FILETS DE PORC AUX FINES HERBES

4 portions
Phase 1

INGRÉDIENTS

2 filets de porc
10 ml (2 c. à thé) de moutarde de Dijon
5 ml (1 c. à thé) de sauce soya
15 ml (1 c. à soupe) de vinaigre balsamique
2,5 ml (1/2 c. à thé) d'origan séché
2,5 ml (1/2 c. à thé) de romarin séché
2 gousses d'ail écrasées

PRÉPARATION

- Préchauffer le four à 180 °C (350 °F).
- Mettre les filets de porc dans un plat de cuisson.
- Dans un bol, mélanger les autres ingrédients. Enrober les filets de porc de cette sauce.
- Cuire au four environ une heure.

149

FROMAGE EN ROBE

1 portion
Phase 1

INGRÉDIENTS

Sauce tomate ou à pizza, sans sucre
4 tranches de jambon ou autre viande froide
4 bâtonnets de cheddar

PRÉPARATION

- Étendre une mince couche de sauce tomate sur chaque tranche de viande froide.
- Déposer un bâtonnet de cheddar au bout de chaque tranche, enrouler la viande autour du fromage. Peut être servi chaud ou froid.

JAMBON EN SALADE

4 portions
Phase 1

INGRÉDIENTS

227 g (1/2 lb) de champignons tranchés
10 tomates cerises coupées en deux
250 ml (1 tasse) de brocoli, en petits bouquets
30 ml (2 c. à soupe) de ciboulette fraîche
2 endives émincées
1 radicchio émincé
454 g (1 lb) de jambon blanc
125 ml (1/2 tasse) d'huile d'olive
30 ml (2 c. à soupe) de jus de citron
15 ml (1 c. à soupe) de vinaigre balsamique
30 ml (2 c. à soupe) de moutarde de Dijon
60 ml (1/4 tasse) de yogourt nature
2 gousses d'ail écrasées
5 ml (1 c. à thé) d'origan séché
Sel et poivre, au goût

PRÉPARATION

- Mettre les légumes et le jambon dans un grand bol. Réserver.
- Dans un petit bol, faire la vinaigrette avec l'huile, le jus de citron, le vinaigre balsamique, la moutarde de

Suite ➤

151

Dijon, le yogourt, l'ail et les assaisonnements. Bien mélanger.
- Verser sur les légumes et remuer, si désiré.

LAITUE EN CACHETTE

1 portion
Phase 1

INGRÉDIENTS

3 feuilles de laitue Boston
15 à 30 ml (1 à 2 c. à soupe) de sauce
au pesto et aux tomates séchées
1 carotte râpée
125 ml (1/2 tasse) de poulet cuit, en cubes

PRÉPARATION

- Dans un bol, mélanger le poulet, la sauce et la carotte râpée.
- Déposer une feuille de laitue sur la surface de travail. Mettre le tiers du mélange au poulet au milieu de la feuille de laitue. Plier les quatre côtés de la feuille vers le centre afin de refermer le tout. Piquer au centre avec un cure-dent afin de tenir le paquet fermé.
- Faire de même avec les deux feuilles restantes.
- Il est facile de varier cette recette à l'infini en changeant de viande, de sauce et de légume.

PÂTÉ CHINOIS MONTIGNAC

1 portion
Phase 1

INGRÉDIENTS

125 g (1/4 lb) de bœuf haché maigre
5 ml (1 c. à thé) d'huile d'olive
60 ml (1/4 tasse) de haricots jaunes
en tronçons de 0,5 cm (1/8 po) de long
15 ml (1 c. à soupe) de poivron rouge
finement haché
1 courgette pelée, en dés
2,5 ml (1/2 c. à thé) de parmesan râpé
1 pincée de poudre d'ail
1 pincée de paprika
Sel et poivre, au goût

PRÉPARATION

- Dans un petit poêlon, faire revenir le bœuf haché dans un peu d'huile d'olive. Cuire à point. Mettre dans le fond d'un plat de plastique pour portion individuelle.
- Cuire les haricots et le poivron rouge à la vapeur, puis les déposer sur la viande cuite.
- Cuire la courgette à la vapeur 8 minutes, afin de l'attendrir. La piler ensuite à la fourchette ou en la passant au mélangeur. Ajouter le reste des ingrédients.
- Étendre la purée sur les haricots, les poivrons et la viande.

POULET À LA CHINOISE

4 portions
Phase 1

INGRÉDIENTS

4 demi-poitrines de poulet désossées
80 ml (1/3 tasse) de sauce soya
45 ml (3 c. à soupe) d'huile d'olive
5 ml (1 c. à thé) de moutarde en poudre
2,5 ml (1/2 c. à thé) de gingembre moulu
1 ml (1/4 c. à thé) de poivre
1 gousse d'ail écrasée

PRÉPARATION

- Couper le poulet en longues lanières afin de l'enfiler sur des brochettes.
- Dans un bol, bien mélanger la sauce soya, l'huile, la moutarde en poudre, le gingembre, le poivre et l'ail. Ajouter le poulet et laisser mariner une heure au réfrigérateur.
- Préchauffer le four à 180 °C (350 °F).
- Égoutter le poulet et garder la marinade.
- Enfiler le poulet sur les brochettes et mettre au four environ 45 minutes ou jusqu'à ce que le poulet ait perdu sa teinte rosée. Au cours de la cuisson, badigeonner le poulet avec la marinade restante.

155

RATATOUILLE AU POULET

4 portions
Phase 1

INGRÉDIENTS

1 aubergine moyenne
2 courgettes
1 oignon
1 boîte de 796 ml (28 oz) de tomates en dés, égouttées
500 ml (2 tasses) de poulet cuit, en cubes
2,5 ml (1/2 c. à thé) d'origan séché
2 gousses d'ail écrasées
375 ml (1 1/2 tasse) de gruyère râpé
Sel et poivre, au goût

PRÉPARATION

- Préchauffer le four à 180 °C (350 °F).
- Couper l'aubergine, les courgettes et l'oignon en tranches les plus minces possible. Huiler légèrement un grand plat de cuisson et y déposer, en alternance, les tranches d'aubergine, de courgettes et d'oignon. Réserver.
- Dans un bol, mélanger les tomates, le poulet, l'origan, l'ail, le sel et le poivre. Répartir ce mélange sur les tranches de légumes.
- Parsemer de fromage gruyère râpé et passer au four environ 30 minutes ou jusqu'à ce que les légumes soient cuits, au goût.

ROULADES DE COURGETTE

2 portions
Phase 1

INGRÉDIENTS

125 ml (1/2 tasse) de poulet cuit, finement haché

**45 ml (3 c. à soupe) de trempette au cari
ou d'une autre sauce, au choix**

2,5 ml (1/2 c. à thé) d'oignon vert haché finement

15 ml (1 c. à soupe) de céleri haché finement

Sel et poivre, au goût

1 courgette

PRÉPARATION

- Dans un bol, mélanger le poulet, la trempette, l'oignon vert et le céleri. Saler et poivrer. Réserver.
- À l'aide d'un économe, tailler de belles tranches (sur la longueur) de courgette. Ne pas utiliser la première tranche ni la dernière, car ce n'est que de la pelure difficile à manipuler.
- Étendre une tranche de courgette sur la surface de travail. Tartiner de mélange au poulet. Il est important de ne pas en mettre trop.
- Saisir un des deux bouts de la tranche de courgette et la rouler sur elle-même afin d'obtenir une belle roulade. Faire de même avec le reste des tranches de courgette et le mélange au poulet.

157

ROULÉS DE JAMBON AUX LÉGUMES

2 portions
Phase 1

INGRÉDIENTS

1 carotte
1 courgette
1 poivron
8 tranches de jambon blanc
Crème sure*
Ciboulette*

PRÉPARATION

- Couper les légumes en fine julienne, de sorte que la longueur de la julienne soit la même que la largeur du jambon.
- Placer une tranche de jambon sur la surface de travail et étendre un peu de crème sure dessus. Parsemer de ciboulette.
- Prendre 2 filaments de chaque légume et les placer sur une extrémité de la tranche de jambon. Rouler le jambon sur les légumes.
- Faire la même chose avec les autres tranches de jambon.

* *La crème sure peut être remplacée par une autre sauce ou tartinade, et la ciboulette peut être remplacée par d'autres fines herbes.*

SALADE ARC-EN-CIEL

2 portions
Phase 1

INGRÉDIENTS

1 boîte de 398 ml (14 oz) de cœurs de palmiers,
égouttés

1 poivron rouge émincé

200 g (7 oz) d'épinards

2 carottes râpées

2 tomates jaunes, en dés

1/2 oignon rouge haché

Vinaigrette maison ou vinaigrette Montignac

Tranches de bœuf cuit

PRÉPARATION

- Dans un bol, mélanger tous les ingrédients sauf le bœuf.
- Déposer les tranches de bœuf sur le dessus.

SALADE D'AVOCAT ET DE POULET CAJUN

2 portions
Phase 1

INGRÉDIENTS

22 ml (1 1/2 c. à soupe) d'huile d'olive
2,5 ml (1/2 c. à thé) de poudre de chili
2,5 ml (1/2 c. à thé) d'origan séché
1 gousse d'ail écrasée
1 pincée de piment de Cayenne
450 g (1 lb) de poulet frais, en lanières
1 avocat mûr, en dés
2 tomates italiennes, en dés
1 oignon vert haché
1 concombre, en dés
125 ml (1/2 tasse) de mayonnaise maison
ou de mayonnaise Montignac
10 ml (2 c. à thé) de jus de lime frais
15 ml (1 c. à soupe) d'origan frais, haché

PRÉPARATION

• Dans un bol, mélanger l'huile, la poudre de chili, l'origan, l'ail et le piment de Cayenne. Ajouter les lanières de poulet et bien les enrober de la marinade. Laisser reposer 30 minutes.

Suite ➤

- Faire revenir le poulet dans un peu d'huile 6 ou 7 minutes ou jusqu'à ce qu'il ait perdu sa teinte rosée à l'intérieur. Réserver.
- Dans un grand bol, mélanger le reste des ingrédients. Disposer le poulet sur le dessus, puis servir.

SALADE DE CHOU CHINOIS AU BŒUF

4 portions

Phase 1

INGRÉDIENTS

1 chou chinois émincé

500 ml (2 tasses) de bébés épinards

3 oignons verts hachés

2 carottes râpées

500 ml (2 tasses) de bœuf cuit, en petites lanières

Vinaigrette maison ou vinaigrette Montignac

PRÉPARATION

- Bien mélanger tous les ingrédients.

SALADE DE LUZERNE AU POULET

4 portions

Phase 1

INGRÉDIENTS

1 laitue Boston hachée

500 ml (2 tasses) de luzerne

3 oignons verts hachés

12 tomates raisins, coupées en deux

500 ml (2 tasses) de poulet cuit, en cubes

1 courgette jaune râpée

Vinaigrette maison ou vinaigrette Montignac

Sel et poivre, au goût

PRÉPARATION

• Mélanger tous les ingrédients, saler et poivrer.

163

SALADE DU JARDIN AU POULET

4 portions

Phase 1

INGRÉDIENTS

750 ml (3 tasses) d'épinards hachés

1 laitue Boston

250 ml (1 tasse) de fèves germées

2 branches de céleri hachées

2 oignons verts hachés

2 tomates, en dés

250 ml (1 tasse) de champignons tranchés

500 ml (2 tasses) de poulet cuit, en cubes

Vinaigrette maison ou vinaigrette Montignac

PRÉPARATION

• Mettre tous les ingrédients dans un grand bol et mélanger un peu.

• Ajouter la vinaigrette au moment de déguster.

SALADE DE POULET ET DE CAROTTES

1 portion
Phase 1

INGRÉDIENTS

125 ml (1/2 tasse) de carottes râpées
60 ml (1/4 tasse) de poulet cuit, en cubes
15 ml (1 c. à soupe) de céleri finement haché
15 ml (1 c. à soupe) de poivron vert
finement haché
15 à 30 ml (1 à 2 c. à soupe) de mayonnaise
maison ou de mayonnaise Montignac
Sel et poivre, au goût

PRÉPARATION

- Bien mélanger tous les ingrédients. Ajuster la quantité de mayonnaise afin d'éviter un mélange trop sec.

SALADE FAJITAS

2 portions
Phase 1

INGRÉDIENTS

1 poivron rouge, en lanières
1 poivron vert, en lanières
1/2 oignon tranché
2 poitrines de poulet désossées,
coupées en lanières
Salsa maison ou du commerce sans sucre
Feuilles de romaine
125 ml (1/2 tasse) de cheddar fort, râpé
Crème sure (facultatif)

PRÉPARATION

- Chauffer un peu d'huile d'olive dans un poêlon et y faire revenir les poivrons et l'oignon 4 ou 5 minutes. Ajouter le poulet et remuer, le temps que celui-ci perde sa teinte rosée à l'intérieur. Incorporer la salsa et chauffer 1 minute supplémentaire.
- Servir sur un lit de laitue, et garnir de cheddar râpé et de crème sure, si désiré.
- Se mange chaud ou froid.

166

Salade Pékin

4 portions
Phase 1

INGRÉDIENTS

400 g (14 oz) d'épinards lavés et parés
500 ml (2 tasses) de fèves germées
227 g (1/2 lb) de champignons tranchés
3 oignons verts hachés
250 ml (1 tasse) de luzerne
500 ml (2 tasses) de poulet à la chinoise*,
en cubes
125 ml (1/2 tasse) d'huile d'olive
45 ml (3 c. à soupe) de tamari
2 gousses d'ail écrasées
1 pincée d'anis moulu
1 pincée de gingembre moulu

PRÉPARATION

- Mettre les légumes et le poulet dans un bol et réserver.
- Dans un petit bol, bien mélanger l'huile, le tamari, l'ail, l'anis et le gingembre pour faire la vinaigrette.
- Verser la vinaigrette sur les légumes et le poulet. Mélanger si désiré.

° *Voir recette de poulet à la chinoise, page 155.*

167

SALADE POULET-BOUQUETS

1 portion
Phase 1

INGRÉDIENTS

60 ml (1/4 tasse) de poulet cuit, en cubes
60 ml (1/4 tasse) de petits bouquets de brocoli
60 ml (1/4 tasse) de petits bouquets de chou-fleur
30 à 45 ml (2 à 3 c. à soupe) de vinaigrette
maison ou de vinaigrette Montignac

PRÉPARATION

- Bien mélanger tous les ingrédients et servir.

TOMATES FARCIES

2 portions
Phase 1

INGRÉDIENTS

4 tomates
250 ml (1 tasse) de jambon haché
60 ml (1/4 tasse) de carottes râpées
2 oignons verts hachés
250 ml (1 tasse) de laitue hachée très finement
125 ml (1/2 tasse) de vinaigrette, au choix

PRÉPARATION

- Découper le dessus des tomates (à peine, mais assez grand pour y insérer une cuillère). À l'aide d'une cuillère, évider les tomates. Réserver.
- Dans un bol, mélanger le jambon, les carottes, les oignons verts, la laitue et la vinaigrette.
- Verser ce mélange dans les 4 tomates évidées. Réfrigérer une heure (facultatif).

RECETTES

SALADES

ÉPINARDS AU PESTO

4 portions
Phase 1

INGRÉDIENTS

45 ml (3 c. à soupe) de pesto
60 ml (1/4 tasse) d'huile d'olive
30 ml (2 c. à soupe) de jus de pomme non sucré
2 oignons verts hachés
3 tomates séchées, dans l'huile, hachées
Sel et poivre, au goût
400 g (14 oz) d'épinards grossièrement hachés

PRÉPARATION

- Dans un bol, bien mélanger le pesto, l'huile, le jus de pomme, les oignons verts, les tomates séchées, le sel et le poivre pour faire la vinaigrette.
- Mettre les épinards dans un grand bol et verser la vinaigrette dessus. Remuer pour répartir la vinaigrette.

173

MARINADE JARDINIÈRE

INGRÉDIENTS

1 chou-fleur
250 ml (1 tasse) de haricots jaunes,
en tronçons de 2 cm (3/4 po)
250 ml (1 tasse) de pois mange-tout coupés en 3
227 g (1/2 lb) de champignons
1 poivron rouge
1 courgette
3 oignons verts
125 ml (1/2 tasse) d'huile d'olive
60 ml (1/4 tasse) de vinaigre de cidre
2 gousses d'ail écrasées
10 ml (2 c. à thé) de moutarde de Dijon
2,5 ml (1/2 c. à thé) de basilic séché
Sel et poivre, au goût

PRÉPARATION

- Couper le chou-fleur en petits bouquets et les blanchir 2 minutes avec les haricots jaunes et les pois mange-tout. Les passer ensuite sous l'eau froide pour arrêter la cuisson. Réserver.
- Couper les champignons, le poivron rouge, la courgette et les oignons verts.

Suite ➤

174

- Mettre tous les légumes dans un bol et les mélanger un peu.
- Dans un autre bol, bien mélanger l'huile, le vinaigre de cidre, l'ail, la moutarde et les assaisonnements pour faire la vinaigrette.
- Verser la vinaigrette sur les légumes, bien mélanger et laisser reposer au réfrigérateur au moins 4 heures.

SALADE DE BROCOLI AU GINGEMBRE

4 portions
Phase 1

INGRÉDIENTS

1 brocoli, en petits bouquets
1 poivron vert haché
2 oignons verts hachés
30 ml (2 c. à soupe) de gingembre frais, râpé
5 ml (1 c. à thé) de zeste d'orange
60 ml (1/4 tasse) d'huile d'olive
15 ml (1 c. à soupe) de jus de citron frais
Sel et poivre, au goût

PRÉPARATION

- Blanchir le brocoli 2 minutes, puis passer sous l'eau froide pour arrêter la cuisson.
- Dans un grand bol, mélanger tous les ingrédients.

SALADE DE CAROTTES

4 portions

Phase 1

INGRÉDIENTS

1 l (4 tasses) de carottes râpées
2 branches de céleri hachées
3 oignons verts hachés
125 ml (1/2 tasse) d'huile d'olive
15 ml (1 c. à soupe) de vinaigre balsamique
2 ml (1/4 c. à thé) de poudre d'oignon
2 ml (1/4 c. à thé) d'origan séché
1 pincée de paprika
1 pincée de feuilles de laurier moulues
Sel et poivre, au goût

PRÉPARATION

- Dans un grand bol, déposer les carottes, le céleri et les oignons verts.
- Dans un petit bol, bien mélanger le reste des ingrédients pour faire la vinaigrette.
- Verser la vinaigrette sur les légumes et bien mélanger.

SALADE DE CHOU

4 portions
Phase 1

INGRÉDIENTS

1 l (4 tasses) de chou râpé
250 ml (1 tasse) de carottes râpées
2 branches de céleri finement hachées
2 oignons verts finement hachés
125 ml (1/2 tasse) d'huile d'olive
45 ml (3 c. à soupe) de vinaigre de vin
2,5 ml (1/2 c. à thé) de sel
5 ml (1 c. à thé) d'aneth séché
1 ml (1/4 c. à thé) d'estragon séché

PRÉPARATION

• Mettre les légumes dans un grand bol.
• Dans un autre bol, plus petit, bien mélanger le reste des ingrédients. Verser sur les légumes et remuer.
• Réfrigérer au moins 1 heure.

SALADE DE COURGETTES

2 portions
Phase 1

INGRÉDIENTS

3 courgettes râpées
2 oignons verts hachés
1 poivron rouge haché
1 carotte râpée
60 ml (1/4 tasse) d'huile d'olive
15 ml (1 c. à soupe) de jus de citron
2,5 ml (1/2 c. à thé) de poudre de cari
Sel et poivre, au goût

PRÉPARATION

- Dans un bol, mélanger tous les légumes.
- Dans un autre bol, mélanger l'huile, le jus de citron, le cari, le sel et le poivre. Verser cette vinaigrette sur les légumes et bien mélanger.

SALADE DE HARICOTS VERTS

2 portions
Phase 1

INGRÉDIENTS

454 g (1 lb) de haricots verts frais
1 petit oignon haché
45 ml (3 c. à soupe) d'huile d'olive
15 ml (1 c. à soupe) de vinaigre de vin
5 ml (1 c. à thé) de moutarde de Dijon
1 gousse d'ail écrasée
5 ml (1 c. à soupe) de menthe fraîche, hachée
Sel et poivre, au goût

PRÉPARATION

- Parer les haricots et les cuire à la vapeur 4 ou 5 minutes. Les passer ensuite sous l'eau froide pour arrêter la cuisson.
- Mettre les haricots verts et l'oignon dans un grand bol. Réserver.
- Dans un petit bol, bien mélanger l'huile, le vinaigre de vin, la moutarde, l'ail, la menthe, le sel et le poivre pour faire la vinaigrette.
- Verser la vinaigrette sur les légumes et mélanger.

SALADE DE POIVRONS

4 portions
Phase 1

INGRÉDIENTS

1 poivron rouge haché
1 poivron vert haché
1 poivron jaune haché
1 poivron orange haché
45 ml (3 c. à soupe) d'huile d'olive
15 ml (1 c. à soupe) de persil frais, haché
15 ml (1 c. à soupe) de ciboulette fraîche, hachée
15 ml (1 c. à soupe) de basilic frais, haché
1 gousse d'ail écrasée
3 tomates séchées, hachées
Sel et poivre, au goût
1 laitue frisée

PRÉPARATION

- Dans un bol, mélanger tous les ingrédients sauf la laitue.
- Servir sur un lit de laitue frisée.

181

SALADE FORESTIÈRE

4 portions
Phase 1

INGRÉDIENTS

454 g (1 lb) de champignons
3 oignons perlés rouges
1 poivron vert
60 ml (1/4 tasse) d'huile d'olive
45 ml (3 c. à soupe) de jus de citron
2 gousses d'ail écrasées
30 ml (2 c. à soupe) de persil
1 ml (1/4 c. à thé) de romarin
1 pincée de paprika
Sel et poivre, au goût

PRÉPARATION

- Trancher les champignons, les oignons perlés et le poivron, puis réserver ces légumes dans un bol.
- Dans un autre bol, bien mélanger l'huile, le jus de citron, l'ail, le persil, le romarin, le paprika, le sel et le poivre pour faire la vinaigrette.
- Verser la vinaigrette sur les légumes. Mélanger, si désiré.

182

SALADE RUBIS

2 portions
Phase 1

INGRÉDIENTS

2 poivrons rouges
3 tomates
1/2 radicchio
30 ml (2 c. à soupe) d'oignon rouge
finement haché
Vinaigrette maison ou vinaigrette Montignac

PRÉPARATION

- Hacher les poivrons rouges et les tomates.
- Hacher finement le radicchio.
- Mettre les légumes dans un bol, ajouter la vinaigrette et bien mélanger.

SALADE SOLEIL À L'ESTRAGON

4 portions
Phase 1

INGRÉDIENTS

1 courgette jaune, en tranches minces
250 ml (1 tasse) de haricots jaunes, en tronçons
2 carottes râpées
1 poivron jaune haché
3 tomates de vigne, jaunes ou orangées
125 ml (1/2 tasse) d'huile d'olive
30 ml (2 c. à soupe) de vinaigre à l'estragon
15 ml (1 c. à soupe) d'estragon frais, haché
Sel et poivre, au goût
Quelques feuilles de laitue Boston

PRÉPARATION

- Blanchir la courgette et les haricots 2 minutes, puis passer sous l'eau froide pour arrêter la cuisson.
- Dans un grand bol, mélanger tous les ingrédients sauf la laitue.
- Servir sur des feuilles de laitue Boston.

184

SALADE TZATZIKI

2 portions
Phase 1

INGRÉDIENTS

1 concombre anglais, en dés
60 ml (1/4 tasse) de crème sure
60 ml (1/4 tasse) de yogourt nature
3 gousses d'ail écrasées
15 ml (1 c. à soupe) de persil frais, haché
15 ml (1 c. à soupe) de menthe fraîche, hachée
15 ml (1 c. à soupe) de jus de citron frais
Sel et poivre, au goût
Quelques feuilles de laitue romaine

PRÉPARATION

- Dans un grand bol, mélanger tous les ingrédients sauf la laitue.
- Servir sur des feuilles de laitue romaine.

185

VERDURE EN FOLIE

4 portions
Phase 1

INGRÉDIENTS

1/2 brocoli
1 laitue Boston
1/2 sac de bébés épinards
1 poivron vert émincé
3 oignons verts hachés
125 ml (1/2 tasse) d'huile d'olive
30 ml (2 c. à soupe) de vinaigre de cidre
15 ml (1 c. à soupe) de persil frais, haché
15 ml (1 c. à soupe) d'origan frais, haché
Sel et poivre, au goût

PRÉPARATION

- Couper le brocoli en petits bouquets et les blanchir 2 minutes. Les passer ensuite sous l'eau froide pour arrêter la cuisson. Réserver.
- Déchiqueter la laitue et les épinards, et les mettre dans un saladier. Ajouter le poivron vert, les oignons verts et le brocoli blanchi.
- Dans un petit bol, bien mélanger l'huile, le vinaigre de cidre, le persil, l'origan, le sel et le poivre pour faire la vinaigrette.
- Verser la vinaigrette sur les légumes. Mélanger, si désiré.

RECETTES

BREUVAGES

Boisson aux légumes

2 portions
Phase 1

INGRÉDIENTS

3 tomates, en quartiers
2 carottes, en tronçons
1 branche de céleri, en tronçons
1 pincée de paprika
Sel et poivre, au goût

PRÉPARATION

- Enlever le cœur des tomates et la tige des carottes. Mettre les légumes dans une centrifugeuse afin d'en extraire le jus.
- Assaisonner.

189

FRAPPÉ AUX PÊCHES

2 portions
Phase 1

INGRÉDIENTS

125 ml (1/2 tasse) de tofu mou
(du genre Mori-Nu)
3 pêches, en tranches
500 ml (2 tasses) de jus de raisin blanc non sucré
30 ml (2 c. à soupe) de fructose (facultatif)

PRÉPARATION

• Passer tous les ingrédients au mélangeur et servir.

190

YOGOURT À BOIRE AUX RAISINS

6 portions
Phase 1

INGRÉDIENTS

355 ml (1 boîte) de concentré congelé de jus
de raisin non sucré, non dilué
500 ml (2 tasses) de yogourt nature

PRÉPARATION

- Laisser dégeler le concentré de jus de raisin.
- Dans un pichet, mettre le concentré de jus de raisin et le yogourt, et bien mélanger.
- Réfrigérer.

RECETTES

DESSERTS

AGRUMES À LA MENTHE

2 portions
Phase 1

INGRÉDIENTS

2 clémentines
1 orange sanguine
1 mandarine
250 ml (1/2 tasse) de jus de framboise non sucré
5 ml (1 c. à thé) de menthe fraîche,
finement hachée

PRÉPARATION

- Peler à vif les agrumes. Couper ensuite les agrumes de chaque côté des cloisons blanches pour en retirer la chair seulement (les suprêmes).
- Placer les suprêmes d'agrumes dans un bol, verser le jus de framboise et ajouter la menthe fraîche. Mélanger un peu.
- Réfrigérer au moins 1 heure.

ARACHIDES AU TAMARI

4 portions
Phase 2

INGRÉDIENTS

500 ml (2 tasses) d'arachides nature (non rôties, non salées)
15 à 30 ml (1 à 2 c. à soupe) de tamari

PRÉPARATION

- Chauffer un poêlon à feu moyen-vif et y mettre les arachides. Verser la quantité désirée de tamari et cuire de 5 à 10 minutes, en remuant constamment. Il est important de ne pas trop mettre de tamari. Il faut seulement que les arachides en soient enrobées, et non qu'elles flottent dedans.
- Transférer les arachides dans une assiette recouverte d'essuie-tout et laisser refroidir.

196

BLANC-MANGER À LA VANILLE

INGRÉDIENTS

500 ml (2 tasses) de lait
10 ml (2 c. à thé) d'essence de vanille
6 jaunes d'œufs
30 ml (2 c. à soupe) de fructose

PRÉPARATION

- Préchauffer le four à 180 °C (350 °F).
- Faire chauffer le lait et la vanille pour qu'ils soient tièdes.
- Dans un bol, battre les jaunes d'œufs et verser le lait tiède dessus. Ajouter le fructose. Verser la préparation dans des ramequins.
- Mettre les ramequins dans un plat de cuisson à hauts rebords et verser environ 1 cm d'eau dans le plat de cuisson.
- Cuire au four environ 30 minutes.
- Réfrigérer au moins 3 heures.

COMPOTE DE POMMES ET DE POIRES

4 portions
Phase 1

INGRÉDIENTS

2 pommes pelées, évidées et coupées en dés
2 poires pelées, évidées et coupées en dés
60 ml (1/4 tasse) de jus de raisin blanc non sucré
2,5 ml (1/2 c. à thé) de cannelle
1 ml (1/4 c. à thé) de muscade
1 pincée de cardamome moulue
1 anis étoilé entier

PRÉPARATION

- Dans une casserole, mettre tous les ingrédients et cuire à feu moyen environ 20 minutes ou jusqu'à ce que les fruits soient tendres.
- Retirer l'anis étoilé. À cette étape, il est possible de passer la compote au mélangeur afin d'obtenir une texture lisse et onctueuse. Mais elle peut également être laissée telle quelle, avec les morceaux.

CRÈME CHOCO-ORANGE

4 portions
Phase 2

INGRÉDIENTS

**100 g (3 1/2 oz) de chocolat
à 70 % de cacao (minimum)
30 ml (2 c. à soupe) de fructose
5 ml (1 c. à thé) de zeste d'orange
60 ml (1/4 tasse) de jus d'orange frais
375 ml (1 1/2 tasse) de ricotta faible en gras**

PRÉPARATION

- Faire fondre le chocolat au bain-marie, puis retirer du feu. Ajouter le fructose, le zeste et le jus d'orange, et bien mélanger.
- Dans un bol, mettre la ricotta et le mélange au chocolat. Bien battre avec un batteur électrique au moins 2 minutes.
- Verser ce mélange dans 4 petits bols et réfrigérer au moins 2 heures avant de servir.

199

DESSERT AUX POIRES

INGRÉDIENTS

8 tranches de poires
125 ml (1/2 tasse) de fromage à la crème
125 ml (1/2 tasse) de ricotta
125 ml (1/2 tasse) de jus de poire non sucré
15 ml (1 c. à soupe) de fructose

PRÉPARATION

- Déposer 2 tranches de poires au fond de 4 bols à dessert. Réserver.
- Dans un bol, battre le fromage à la crème avec la ricotta, le jus de poire et le fructose, jusqu'à l'obtention d'une texture lisse et légère. Verser sur les poires.
- Réfrigérer 1 heure.

DOUCEUR
AUX PETITS FRUITS

INGRÉDIENTS

125 ml (1/2 tasse) de framboises
125 ml (1/2 tasse) de fraises
125 ml (1/2 tasse) de mûres
15 ml (1 c. à soupe) de fructose
1 enveloppe de 7 g (1/4 oz) de gélatine
sans saveur
60 ml (1/4 tasse) d'eau

PRÉPARATION

- Passer au mélangeur les petits fruits et le fructose. Verser dans un grand bol et réserver.
- Dans une petite casserole, saupoudrer la gélatine sur l'eau et laisser gonfler 5 minutes.
- Chauffer l'eau et la gélatine. Une fois la gélatine dissoute, verser ce liquide sur les petits fruits et bien mélanger. Séparer cette préparation dans 4 petits bols et réfrigérer au moins 4 heures.

201

GÂTERIES AU CHOCOLAT

4 portions
Phase 2

INGRÉDIENTS

50 g (1 3/4 oz) de chocolat
à 70 % de cacao (minimum)
500 ml (1 tasse) de fèves de soya rôties à sec

PRÉPARATION

- Faire fondre le chocolat au bain-marie.
- Retirer du feu et ajouter les fèves de soya. Bien mélanger pour enrober toutes les fèves de chocolat.
- À la cuillère, déposer le mélange sur une plaque à biscuits ou une assiette et laisser refroidir au réfrigérateur environ 30 minutes.

GÉLATINE ORANGE-KIWI

4 portions
Phase 1

INGRÉDIENTS

1 enveloppe de 7 g (1/4 oz) de gélatine
sans saveur
60 ml (1/4 tasse) d'eau
2 kiwis coupés en petits cubes
250 ml (1 tasse) de jus d'orange non sucré

PRÉPARATION

- Dans une petite casserole, saupoudrer la gélatine sur l'eau et laisser gonfler 5 minutes.
- Chauffer à feu doux pour faire fondre la gélatine. Réserver.
- Dans 4 petits bols, répartir les cubes de kiwis. Réserver.
- Dans un bol de grosseur moyenne, mettre le jus d'orange. Incorporer la gélatine dissoute dans l'eau et bien mélanger. Verser sur les cubes de kiwis. Mettre au réfrigérateur au moins 4 heures avant de servir.

MOUSSE AU CHOCOLAT

6 portions
Phase 2

INGRÉDIENTS

150 g (5 oz) de chocolat à 70 % de cacao
3 œufs, jaunes et blancs séparés
30 ml (2 c. à soupe) de fructose
250 ml (1 tasse) de crème 35 %

PRÉPARATION

- Faire fondre le chocolat au bain-marie. Retirer du feu et ajouter les jaunes d'œufs, en fouettant bien. Réserver.
- Dans un bol, monter en neige les blancs d'œufs au batteur électrique jusqu'à l'obtention de pics mous. Ajouter le fructose en fouettant continuellement, puis réserver.
- Dans un autre bol, fouetter la crème et l'adjoindre à la préparation au chocolat. Incorporer doucement la moitié des blancs d'œufs en neige et plier délicatement. Ajouter l'autre moitié et faire de même. Verser dans 6 petits ramequins et réfrigérer au moins 8 heures.

Nuages aux fraises

6 portions
Phase 2

INGRÉDIENTS

300 g (1 paquet) de tofu mou à texture lisse
300 g (1 paquet) de fraises congelées, dégelées
15 ml (1 c. à soupe) de fructose

PRÉPARATION

- Passer tous les ingrédients au mélangeur jusqu'à l'obtention d'une texture onctueuse.

205

PÊCHES MIGNONNES

4 portions
Phase 1

INGRÉDIENTS

60 ml (1/4 tasse) d'eau froide
1 enveloppe de 7 g (1/4 oz) de gélatine
sans saveur
60 ml (1/4 tasse) d'eau bouillante
355 ml (1 boîte) de concentré congelé
de jus de pomme
355 ml (1 boîte) d'eau
250 ml (1 tasse) de pêches, en cubes

PRÉPARATION

- Mettre l'eau froide dans un bol et y saupoudrer la gélatine. Laisser gonfler 5 minutes. Ajouter l'eau bouillante pour diluer la gélatine. Réserver.
- Dans un grand bol, mélanger le concentré de jus de pomme et l'eau. Ajouter la gélatine gonflée et les pêches.
- Verser dans 4 petits ramequins et mettre au réfrigérateur au moins 3 heures.

POIRES POCHÉES AUX BLEUETS

4 portions

Phase 1

INGRÉDIENTS

500 ml (2 tasses) de jus de fruits des champs non sucré

15 ml (1 c. à soupe) de fructose

1 bâton de cannelle

1 pincée de muscade

4 poires mûres

250 ml (1 tasse) de bleuets frais

30 ml (2 c. à soupe) de jus d'orange non sucré

1 ml (1/4 c. à thé) de zeste d'orange

PRÉPARATION

- Verser le jus dans une casserole et ajouter le fructose, le bâton de cannelle et la muscade. Porter à ébullition.
- Pendant ce temps, peler les poires, enlever le cœur et les couper en 4. Mettre dans le jus.
- Laisser mijoter à feu doux environ 20 minutes ou jusqu'à tendreté des poires.
- Égoutter les poires et les mettre de côté.
- Passer au mélangeur les bleuets, le jus d'orange et le zeste afin de faire un coulis de bleuets.
- Déposer les poires dans quatre petits bols et arroser de coulis.

207

SALADE DE FRUITS ROUGES

INGRÉDIENTS

250 ml (1 tasse) de fraises
250 ml (1 tasse) de framboises
250 ml (1 tasse) de bleuets

PRÉPARATION

- Mélanger les fruits ensemble et réfrigérer.

VELOUTÉ AUX FRAMBOISES

2 portions
Phase 1

INGRÉDIENTS

125 ml (1/2 tasse) de yogourt nature
5 ml (1 c. à thé) de vanille
10 ml (2 c. à thé) de fructose
250 ml (1 tasse) de framboises fraîches

PRÉPARATION

- Dans un bol, bien mélanger le yogourt, la vanille et le fructose.
- Ajouter les framboises et mélanger un peu pour les enrober de yogourt.

QU'EST-CE QUE
L'INDEX GLYCÉMIQUE ?

L'index glycémique mesure la capacité d'un glucide à faire élever la glycémie, c'est-à-dire la quantité de glucose dans le sang. Or, il a été démontré que plus la glycémie était élevée, plus la sécrétion d'insuline (l'hormone du métabolisme) était importante, entraînant une réaction en chaîne dont l'étape finale est la constitution de graisses de réserve, donc la prise de poids.

Des chercheurs ont construit une échelle des valeurs de 1 à 100 où chaque glucide est classé en fonction de son index glycémique. Ce tableau des index glycémiques est très utile pour différencier les bons des mauvais glucides : ceux à index glycémique bas qui permettent de maigrir et d'éviter les mauvais glucides, et ceux à index glycémique élevé qui sont indirectement responsables de la prise de poids.

TABLEAU DES INDEX GLYCÉMIQUES

Aliments	IG	Aliments	IG
Bière	110	Confiture sucrée	65
Pommes de terre au four	95	Banane	65
Pommes de terre frites	95	Jus d'orange industriel	65
Galette de riz blanc	95	Raisins secs	65
Riz instantané	95	Riz à grains longs blancs	60
Purée de pommes de terre	90	Biscuits sablés	55
Croustilles	90	Biscuits secs	55
Riz soufflé	85	Pâtes blanches	55
Miel	85	Pain complet	50
Carottes cuites	85	Farine de sarrasin	50
Flocons de maïs	85	Crêpe au sarrasin	50
Maïs soufflé	85	Patates douces	50
Pain blanc	85	Kiwi	50
Tapioca	80	Riz basmati	50
Craquelins	80	Riz brun	50
Citrouille	75	Sorbet	50
Pain baguette	75	Pâtes complètes	50
Melon d'eau	75	Pain au son	50
Pain de campagne	70	Boulghour entier	45
Céréales sucrées	70	Pain noir pumpernickel	40
Tablette de chocolat	70	Pois frais	40
Pommes de terre bouillies	70	Raisins	40
Sucre (saccharose)	70	Jus d'orange frais	40
Navet	70	Jus de pomme nature	40
Fécule de maïs	70	Pain de seigle complet	40
Maïs	70	Pâtes intégrales	40
Boissons gazeuses	70	Haricots rouges	40
Macaronis, raviolis	70	Pain intégral	40
Couscous raffiné	65	Vermicelles asiatiques	35

TABLEAU DES INDEX GLYCÉMIQUES

Aliments	IG	Aliments	IG
Quinoa	35	Chocolat noir 70 %	
Pois secs	35	et cacao	22
Yogourt nature	35	Lentilles vertes	22
Orange	35	Pois cassés	22
Poire	35	Cerises	22
Figue	35	Prune	22
Abricot sec	35	Pamplemousse	22
Lait 2 %	30	Fructose	20
Carottes crues	30	Soya (cuit)	15
Céréales type All Bran	30	Arachides nature	15
Pêche	30	Abricot frais	15
Pomme	30	Noix nature	15
Haricots verts	30	Oignon, ail	10
Lentilles brunes	30	Légumes verts, laitue,	
Pois chiches	30	champignons	10
Tartinade de fruits		Tomate, aubergine, poivron,	
sans sucre	22	chou, etc.	10

Conclusion

Comme vous avez pu le constater dans ce livre, manger de bons repas-lunchs qui respectent les principes de la Méthode Montignac n'a rien de bien sorcier.

En fait, ces recettes ne sont que quelques exemples de ce à quoi peut ressembler un menu Montignac. Dans plusieurs d'entre elles, il est possible de remplacer un aliment par un autre de la même famille. Par exemple, le poulet peut remplacer le bœuf, ou les épinards prendre la place de la laitue. Tant et aussi longtemps que les principes de base de la méthode sont respectés, il n'y a pas de problème.

À partir du moment où vous vous sentirez à l'aise avec les recettes, faites place à la créativité ! Il n'y a pas de meilleure solution pour stimuler l'appétit des enfants... et des plus grands !

J'espère que ces recettes vous ont plu, qu'elle vous ont donné le goût de cuisiner et, en même temps, de prendre soin de votre santé !

Index des recettes